En cuisine!

Français professionnel

Jérôme Cholvy

AllianceFrançaise
Lima

CLE
INTERNATIONAL
WWW. CLE-INTER.COM

Crédit photographiques

FOTOLIA (de g. à dr. et de haut en bas) : **p. 7** : Picture Partners ; karandaev ; Gilles Paire ; Chlorophylle ; Magalice ; Nitr ; M.studio ; emmi ; alain wacquier – **p. 8** : cobaltstock ; Roman Sluka ; auremar – **p. 9** (h) : Robert Kneschke ; M.studio ; fotogestoeber ; (milieu) : Raman Maisei ; (b) : M.studio ; stockcreations ; M.studio ; SOLLUB – **p. 10** (h) : haveseen ; (bas) : leremy ; binik (cœur) – **p. 11** (col. g) : lefebvre_jonathan ; Artenauta ; siro46 ; Tim UR ; ucius ; Valentina R ; michaeljayberlin ; © Giuseppe Porzani ; EM Art (2x) ; Natika ; gavran333 ; illustrez-vous ; volff ; indigolotos ; Natika (col. dr) : lamio – **p. 12** : alain wacquier (x2) ; M.studio ; Drevojan ; michel BORDIEU ; Alexandr ; Lsantilli ; ivolodina ; ppi09 ; Doris Heinrichs ; Popova Olga ; sommai ; vitals ; nito ; siraphol ; dream79 ; Photographee.eu ; Lsantilli ; sonmai ; phocrew ; gavran333 – **p. 13** (col g) : Patty Wingrove ; Nitr ; Brad Pict ; Swapan ; M.studio ; (col. dr) : Nitr – **p. 15** : Pavel Losevsky ; Minerva Studio ; Tyler Olson ; SOMATUSCANI ; atm2003 – **p. 16** : Strezhnev Pavel ; 123dartist – **p. 17** : kab-vision ; B. and E. Dudzinscy ; M.studio ; pressmaster ; Igor Mojzes ; Karramba Production – **p. 18** : WavebreakmediaMicro – **p. 19** : mariesacha – **p. 20** (h) : FOOD-pictures ; (milieu) : Nitr ; FOOD-pictures ; (b) : Olivier DIRSON – **p. 21** (h) : Maksim Shebeko ; (col g) : Mara Zemgaliete ; illustrez-vous ; (col. dr) : Meliha Gojak – **p. 22** : Cla78 ; Food photo, iMAGINE - ; slava296 ; araraadt ; Ekaterina Pokrovsky – **p. 23** : CandyBox Images (h) ; ikonoklast_hh (m) ; (col g) : M.studio ; (col dr) : SOLLUB (h) ; KaarinaS (m) – **p. 24** : atm2003 – **p. 25** : Kurhan ; apops – **p. 26** : Kurhan ; WavebreakmediaMicro ; M.studio ; Giuseppe Porzani ; Africa Studio ; denio109 – **p. 27** : Robert Kneschke ; Magalice ; dzimin – **p. 28** : WavebreakmediaMicro ; tpx ; T. Michel ; fusolino ; giadophoto ; dzimin – **p. 29** (col g) : ILYA AKINSHIN ; atoss ; Dionisvera ; sergey88kz ; atoss ; Sailorr ; Dionisvera ; atoss ; Shawn Hempel ; Natika ; goodween123 ; fotomaximum ; (col. dr) : Valerie Potapova ; atoss ; Anna Kucherova ; Dionisvera ; monticelllo – **p. 30** (col. g) : Alexander Morozov ; snaptitude ; FOOD-micro ; Popova Olga ; Pixel & Création ; Richard Villalon ; viperagp (d) ; Agence DER (g) ; Maksim Shebeko (bd) – **p. 31** : gertrudda ; Pabkov ; atoss ; recose ; siwaporn999 ; Malyshchyts Viktar ; ivanmollov ; (col. g) : baibaz ; Bacho Foto ; Natika (2x) ; karapiru ; doris oberfrank-list (d) – **p. 32** : adisa – **p. 33** : Adisa ; schmaelterphoto ; guy ; Chlorophylle ; Madeleine Openshaw ; Mi.Ti. – **p. 34** : Giuseppe Porzani ; karandaev ; Dark Vectorangel ; VL@D ; sdbower ; Jérôme SALORT ; Sergii Moscaliuk – **p. 35** : kunertus ; Coprid ; Andrey_Arkusha ; meepoohyaphoto ; kornienko; Viktor ; Givaga ; AnnaMoskvina ; akf ; Diana Taliun ; Serghei Velusceac ; Quade – **p. 36** : Danielle Bonardelle ; Philcopain ; Agence DER – **p. 37** : baibaz ; andriigorulko ; Serhiy Shullye ; Sergii Moscaliuk ; pixelrobot ; stockphoto-graf ; fotomatrix ; Viktor ; womue ; vladi59 – **p. 38** : Richard Villalon (fond) ; illustrez-vous ; seiler (2x) ; Viperagp ; Jérôme Rommé ; miavictoria – **p. 39** : CandyBox Images ; Agence DER ; FOOD-micro ; fotografiche.eu ; Claude Calcagno ; thodsaph ; Thomas Francois ; Giuseppe Porzani ; FOOD-micro ; Olga Lyubkin – **p. 40** : goce risteski ; M.studio ; Cynoclub ; Daniel Mock ; alain wacquier ; schiros ; Mara Zemgaliete ; Xavier – **p. 41** : Lily ; Oleksandr Shevchenko ; Sea Wave ; contrastwerkstatt (2x) – **p. 42** : romikmk – **p. 43** : Michaeljung ; Christophe Fouquin ; goodluz ; Minerva Studio ; Kzenon – **p. 44** : sidliks ; blueringmedia – **p. 45** : mates ; Popova Olga ; mates ; Y. L. Photographies ; philippe Devanne ; Nika Novak ; Natika ; ueuaphoto ; alain wacquier ; Fons Laure – **p. 46** : Noam ; karandaev ; sevenk ; Fons Laure ; photocrew ; SG- design ; Ildi ; Sea Wave ; taiftin ; helenedevun ; luca fabbian ; Gianni ; Photographee.eu ; giovanniluca – **p. 47** : FOOD-micro ; M.studio ; iwaii – **p. 48** : karelnoppe ; Jérôme Rommé ; AMATHIEU ; M.studio ; Jérôme Rommé (4x) – **p. 49** : ChantalS ; alain wacquier ; MONIQUE POUZET – **p. 50** : victoria p. – **p. 51** : illustrez-vous ; Barbara Pheby ; Richard Villalon ; olhaafanasieva ; bit24 ; al62 – **p. 53** : goodluz ; viperagp – **p. 54** : okinawakasawa ; mertcan – **p. 55** : philip kinsey ; Sunny Forest ; Eddie ; chanelle ; seiler ; M.studio – **p. 56** : marzolino (fond) ; imagedb.com ; seqoya ; cook_inspire ; Patryssia ; M.studio ; azurita ; seiler ; photocrew ; timolina ; seiler – **p. 57** : mimon ; FOOD-micro ; mimom ; Robert Kneschke – **p. 58** : ODG ; contrastwerkstatt ; Brad Pict – **p. 59** : SunnyS ; FOOD-pictures ; Sea Wave ; Kesu ; Doris Heinrichs ; umnersgraphicsinc ; nostys – **p. 60** : spyder24 – **p. 61** : Christophe Fouquin ; MIGUEL GARCIA SAAVED ; ExQuisine ; Irochka ; SOLLUB ; M.studio – **p. 62** : lynea – **p. 63** : Vera Kuttelvaserova ; PHILETDOM ; ExQuisine ; Scisetti Alfio ; zi3000 ; womue ; margo555 ; Richard Oechsner ; margo555 ; martine wagner Massimiliano Gallo ; tashka2000 ; Elena Schweitzer ; manipulateur ; photocrew ; skatzenberger – **p. 64** : vanillaechoes ; tycoon101 ; FOOD-micro – **p. 65** : Eric Isselée ; siraphol – **p. 66** : ODG (fond) ; PhotoSG ; Richard Griffin ; Pangfolio.com ; Marco Mayer ; Food photo ; Mara Zemgaliete – **p. 67** : Michael Nivelet ; Murushki ; lidante – **p. 68** : Andrey Khritin ; ODG (x2) ; ld1976 ; Maksim Shebeko – **p. 69** : HLPhoto ; bit24 ; kab-vision ; Chlorophylle ; alain wacquier ; Brett Mulcahy – **p. 70** : Giuseppe Porzani ; Jörg Beuge – **p. 71** : A_Bruno ; Malena und Philipp K ; JPC-PROD ; Fons Laure ; Picture Partners ; Jarp ; Fons Laure ; alain wacquier ; Deklofenak – **p. 72** : contrastwerkstatt – **p. 73** : DreanA ; L.Bouvier ; bit24 ; illustrez-vous ; Mara Zemgaliete ; studiophotopro – **p. 74** : Alexander Raths ; Studio Gi ; M.studio ; ricardvaque ; Andrey Starostin ; Logostylish (carte) – **p. 75** : Marco Mayer ; Brad Pict – **p. 76** : Andrzej Tokarski ; ALCE ; Malgorzata Kistryn ; Mellow10 ; Moustyk – **p. 77** : dp3010 ; chiyacat ; Frank Boston ; Pictures news – **p. 78** : JPC-PROD – **p. 79** : ld1976 ; Jérôme Rommé ; Catherine CLAVERY ; Jérôme Rommé ; HLPhoto ; Mara Zemgaliete – **p. 80** : joanna wnuk ; Jérôme Rommé ; Jérôme Rommé ; SOLLUB ; goodluz ; Denisa V – **p. 81** : Africa Studio ; photocrew ; Fotoskat – **p. 82** : StefanieB. ; unpict ; innershadows ; Darius Dzinnik ; ChantalS ; Alexey Astakhov ; Frédéric Massard ; Agence DER ; Aptyp_koK ; Vitos ; robynmac – **p. 83** : DURIS Guillaume ; Stillkost ; Jérôme Rommé ; Frog 974 – **p. 84** : Magalice ; MONIQUE POUZET ; FomaA ; chanelle ; tashka 2000 ; Pictures news ; Maksim Shebeko ; Franck Sanse ; Delphimages – **p. 85** : Philip Kinsey ; jkphoto69 ; FOOD-micro ; Agence DER ; victoria. (d) – **p. 86** : Frog 974 ; Jérôme Rommé (x2) ; Jacques PALUT – **p. 87** : Kesu ; lapsha_maria ; claudiociani ; emmi ; ChantalS ; Jérôme Rommé – **p. 88** : Marie-Thérèse Guihal ; Minerva Studio – **p. 89** : Barbara Pheby ; Pictures news ; guy ; Anna Kucherova ; the_pixel ; Givaga ; CUKMEN ; Alexander Raths ; Luis Carlos Jiménez – **p. 90** : Tyler Olson – **p. 91** : Elenathewise ; Africa Studio – **p. 92** : tycoon101 ; SOLLUB ; savoieleysse ; Jérôme Rommé ; manyakotic ; alain wacquier ; Jacques PALUT ; pixelrobot (fond) – **p. 93** : Brian Jackson ; Heike Rau ; RTimages – **p. 94** : piotrszczepanek ; iulianvalentin ; WavebreakmediaMicro ; dream79 ; Brad Pict – **p. 95** : Václav Mach ; Brad Pict ; Picture Partners ; Pictures news ; Jesse Barrow – **p. 96** : Comungnero Silvana ; FOOD-pictures ; Evgeny Litvinov – Picto audio : © veronchick84 ; fond p. 7, 15, 25, 35, 45, 51, 61, 69, 79, 87 : © AMATHIEU - Fotolia.com
SHUTTERSTOCK : **p. 23** : goutam kr. sen (col dr, m) – **p. 38** : Stine Lise Nielsen (b) – **p. 47** : keerati (bac) – **p. 64** : daffodilred (mayonnaise) ; Ildi Papp (hollandaise) ; Foodpictures (béarnaise) – **p. 70** : Coprid – **p. 72** : bikeriderlondon – **p. 74** : Antonio Gravante (homard) wavebreakmedia (couverture)

Plans p. 16 et p. 18 : Conrado Giusti.

Rosinox SAS - Atelier Grand Angle pour le matériel de cuisine p. 19.

Nous remercions la société MORA (http://www.mora.fr/) pour les visuels de matériel p. 47, p. 52 et p. 64.

Conception graphique : Lucia Jaime
Couverture : Dagmar Stahringer
Mise en page : Isabelle Vacher
Enregistrement : Vincent Bund

MIXTE
Papier issu de sources responsables
FSC
www.fsc.org
FSC® C022030

Imprimé en France en novembre 2016 par Clerc
N° d'éditeur : 10231823
N° dépôt légal : juin 2014

En cuisine ! est un manuel de **français de la restauration et de la gastronomie**, domaine dans lequel la connaissance du français est primordiale.

En cuisine ! est né d'un projet en français sur objectifs spécifiques (FOS) lancé à **l'Alliance Française de Lima** en 2011. Une première version du manuel a été créée puis utilisée avec succès dans divers instituts de gastronomie de la ville et très vite est apparue la nécessité d'en faire une version plus complète, susceptible de répondre aux besoins des apprenants du monde entier.

En cuisine ! s'adresse à un **public débutant**. **L'objectif** est d'amener rapidement des étudiants du secteur de la restauration à pouvoir communiquer et travailler en français dans le cadre de leurs activités professionnelles. En fin de parcours, les apprenants auront atteint **un niveau A1-A2** du CECRL et maîtriseront une gamme de compétences linguistiques en relation étroite avec leur secteur d'activité.

Dans cette perspective, le principe qui a guidé la conception du manuel a été la recherche du **lien constant entre apprentissage de la langue et pratique professionnelle**. Les contenus d'apprentissage ont ainsi été déterminés sur la base des besoins langagiers recensés en contexte et toutes les activités d'apprentissage s'appuient sur des documents en usage lors des tâches professionnelles. *En cuisine !* s'inscrit donc avec résolution dans **une démarche actionnelle**, et vise le dynamisme pédagogique sur la base d'objectifs langagiers et culturels pertinents pour le contexte professionnel de référence.

En cuisine ! se compose de **10 unités** construites autour de thèmes fondamentaux dans le secteur de la restauration. Chaque unité compte **3 leçons** et **une page « Zoom »** qui développent au moyen de micro-tâches des compétences langagières en lien avec les activités professionnelles abordées.

Des encadrés **« Recettes de grammaire »** et **« Les mots pour »** structurent et systématisent à l'aide d'exercices d'application la progression des apprentissages linguistiques, en parallèle toujours à la réalisation de tâches professionnelles qui impliquent leur mobilisation.

Le **lexique spécialisé**, si abondant et capital dans le domaine de la restauration, est en permanence exploité au travers des documents supports, mobilisé au fil des activités de compréhension comme de production et réinvesti dans tous les exercices. Un **glossaire thématique**, en fin de manuel, regroupe et enrichit l'ensemble du lexique professionnel abordé à l'échelle du manuel.

Une double page **« En cuisine »** illustre l'ambition actionnelle du manuel. On y trouve notamment des activités d'exploitation à partir de **recettes** qui permettent de découvrir le patrimoine culinaire français, et des **projets** à mener en commun et en autonomie par les apprenants. Ces projets mobilisent et fédèrent dans une tâche professionnelle concrète l'ensemble des outils linguistiques et des compétences langagières travaillées au long de l'unité.

Toutes les 2 unités une double page **« Culture gastronomique »** aborde sans stéréotypes et sous un angle stimulant des grands aspects des traditions culinaires françaises.

Chaque unité se conclut sur un **bilan** qui permet à l'apprenant de faire le point sur ses acquisitions.

Signalons enfin que le manuel est complété par un **guide pédagogique** en version numérique. Il indique à l'enseignant les modalités de déroulement des activités, et propose des prolongements avec des suggestions d'activités complémentaires.

Il nous reste à espérer que *En cuisine !* soit l'occasion d'une expérience d'enseignement et d'apprentissage du français plaisante et propice au développement d'un engouement pour la langue comme pour la cuisine française.

Et maintenant, en cuisine !

L'auteur

*Nos remerciements à Corinne Pignard, agrégée d'espagnol,
directrice pédagogique de l'Alliance Française de Lima.*

Tableau des contenus

	OBJECTIFS PROFESSIONNELS	GRAMMAIRE	LEXIQUE	PHONÉTIQUE
Unité 1 **Bienvenue !** Pages 7-14	■ Saluer, prendre congé ■ Compter ■ Identifier le personnel de la brigade de cuisine ■ Se présenter ■ Découvrir les légumes ■ Compléter une feuille de marché	■ *Tu* ou *vous* ■ Les pronoms personnels sujets ■ Le verbe *s'appeler* ■ Les verbes *être* et *avoir* ■ Les articles définis et indéfinis	■ Les chiffres ■ Les nationalités ■ La situation de famille ■ Les légumes verts ■ Les couleurs	■ L'alphabet
Unité 2 **Cuisine et restaurant** Pages 15-24	■ Situer dans l'espace ■ Se repérer dans un restaurant ■ Se repérer dans la cuisine ■ Découvrir les équipements ■ Connaître les repas quotidiens ■ Comprendre un planning	■ L'article contracté ■ L'article partitif ■ Le verbe *aller* ■ Le verbe *prendre* ■ Le présent de l'indicatif des verbes en -er et en -yer ■ Le présentatif	■ La localisation ■ Les locaux du restaurant ■ Les locaux de la cuisine ■ Les équipements ■ Les aliments du petit-déjeuner ■ Les jours de la semaine	■ Les lettres muettes

Culture gastronomique : *Mille et une manières de se restaurer*

	OBJECTIFS PROFESSIONNELS	GRAMMAIRE	LEXIQUE	PHONÉTIQUE
Unité 3 **Dans les règles** Pages 25-32	■ Connaître les parties du corps ■ Interroger ■ Parler de la tenue professionnelle ■ Comprendre et respecter des règles ■ Comprendre et donner un ordre ■ Découvrir les fruits	■ L'interrogation ■ L'adjectif possessif ■ L'adjectif démonstratif ■ L'impératif ■ Le verbe *pouvoir* ■ Le présent de l'indicatif des verbes en -ir et -re	■ Les parties du corps ■ Les 5 sens ■ Les vêtements ■ Les règles d'hygiène ■ Les fruits ■ Les saisons et les mois	■ L'intonation interrogative
Unité 4 **La main à la pâte** Pages 33-42	■ Comprendre des normes d'utilisation ■ Découvrir la vaisselle ■ Réaliser un inventaire ■ Identifier le personnel de la brigade de restaurant ■ Utiliser les ingrédients de base	■ L'obligation et l'interdiction ■ Le verbe *devoir* ■ Le pluriel des noms ■ L'accord des adjectifs ■ Les adverbes de quantité	■ Les appareils ■ Les chiffres (1000) ■ Les pièces du service de table ■ Les ingrédients de base ■ Les unités de mesure	■ La marque orale du masculin et du féminin

Culture gastronomique : *Les Français et le pain*

	OBJECTIFS PROFESSIONNELS	GRAMMAIRE	LEXIQUE	PHONÉTIQUE
Unité 5 **La mise** **en place** Pages 43-50	Maîtriser la préparation des légumes Exprimer des préférences Indiquer la succession des actions Découvrir le matériel de préparation et le matériel à débarrasser Rédiger un bon d'économat	Les articulateurs chronologiques Le pronom personnel tonique Le futur simple Le futur proche	Les légumes Les fruits et les légumes secs Les différentes tailles de légumes Les ustensiles de préparation Les hors-d'œuvre	Le son [p] et le son [b]
Unité 6 **Aux** **fourneaux !** Pages 51-60	Découvrir le matériel de cuisson Maîtriser les cuissons Comprendre les caractéristiques techniques d'un appareil Comprendre et suivre une fiche technique de fabrication	Le verbe *cuire* L'infinitif et l'impératif négatif Interroger et répondre Le comparatif Exprimer la durée	Les ustensiles de cuisson Les types de cuisson Le fourneau Les œufs Les soupes	Distinguer *vouloir* et *pouvoir*

Culture gastronomique : Le pays du fromage

	OBJECTIFS PROFESSIONNELS	GRAMMAIRE	LEXIQUE	PHONÉTIQUE
Unité 7 **Saignant,** **à point ou** **bien cuit ?** Pages 61-68	Découvrir les viandes et les volailles Utiliser les herbes aromatiques et les épices Réaliser les fonds et les sauces Compléter une fiche technique de fabrication	Les adverbes de fréquence Les pronoms compléments directs : *le la, l', les* Le pronom *en* Le présent progressif	Les ordinaux La viande et la volaille Les herbes aromatiques Les épices Les sauces	Les sons [ã], [ɛ̃] et [ɔ̃]
Unité 8 **Les produits** **de la mer** Pages 69-77	Préparer le poisson Découvrir les poissons et les crustacés Cuisiner le poisson Exprimer ses goûts Rédiger une fiche technique de fabrication	Les pronoms compléments indirects : *lui, leur* La négation Les verbes pronominaux	Le poisson Les fruits de mer Les préférences Les perceptions sensorielles Les recommandations sanitaires	Le son [s] et le son [k]

Culture gastronomique : Les vins

Tableau des contenus

	OBJECTIFS PROFESSIONNELS	GRAMMAIRE	LEXIQUE	PHONÉTIQUE
Unité 9 **Pour** **le dessert** Pages 78-86	■ Découvrir les desserts ■ Conserver les crèmes ■ Dresser un plat ■ S'exprimer au passé ■ Donner son avis	■ Les pronoms personnels compléments directs et indirects ■ Le passé composé ■ Les pronoms relatifs *qui* et *que*	■ Les desserts ■ Les crèmes ■ Les glaces et les sorbets ■ Les formes ■ Les textures	■ Les liaisons ■ Distinguer *ont* et *sont*
Unité 10 **À la carte** Pages 87-96	■ Comprendre et composer une carte ■ Comprendre des notions de diététique ■ Exprimer le temps ■ Communiquer avec la brigade de restaurant ■ Passer une commande à un fournisseur	■ Le conditionnel ■ Impératif et pronom complément	■ Le menu ■ Les saveurs ■ Les valeurs nutritionnelles ■ L'emploi du temps ■ L'heure	■ Le son [r]

Culture gastronomique : Découvrir le monde de la gastronomie

UNITÉ 1
Bienvenue !

Au menu

❏ Saluer

❏ Se présenter

❏ Compter

❏ Identifier le personnel
de la brigade de cuisine

❏ Découvrir les légumes

Plat du jour

❏ Salade au chèvre chaud

Et pour finir...

❏ Vous créez la salade de la classe.

Quelles spécialités
françaises
reconnaissez-vous ?

1 Bonjour !

 1. a. Écoutez les dialogues et indiquez l'humeur des personnages :

b. Jouez les scènes à deux.

a. – Salut Paul, ça va ?
   – Oui, pas mal et toi ?
   – Oui, ça va, ça va.

b. – Bonjour chef, vous allez bien ?
   – Très bien merci, et toi ?
   – Tout va bien.

c. – Monsieur le directeur, comment allez-vous ?
   – Pas bien… Ça ne va pas, j'ai un problème.

Les mots pour

Saluer
• Bonjour / Salut – Au revoir / Salut
• Comment vas-tu ? / Comment allez-vous ?
• Ça va ? Tu vas bien ? / Vous allez bien ?

• Ça va – Ça va bien – Tout va bien. ☺
• Comme ci, comme ça – Pas mal. 😐
• Pas bien – Ça (ne) va pas. ☹

RECETTE DE GRAMMAIRE

Tu ou *vous* ?

▪ **Tu** → amis, famille
▪ **Vous** → personnes inconnues, relations professionnelles, plusieurs personnes.

1 Interrogez vos voisins pour savoir comment ils vont. Interrogez votre professeur.

2 L'alphabet

 2. Écoutez et répétez.   **3. Épelez votre nom.**

a	[a]	f	[ɛf]	k	[ka]	p	[pe]	u	[y]	z [zɛd]
b	[be]	g	[ʒeg]	l	[ɛl]	q	[ky]	v	[ve]	
c	[se]	h	[aʃ]	m	[ɛm]	r	[ɛr]	w	[dubləve]	
d	[de]	i	[i]	n	[ɛn]	s	[ɛs]	x	[iks]	
e	[Ø]	j	[ʒi]	o	[o]	t	[te]	y	[igrɛk]	

3 Les chiffres et les nombres

 4. Écoutez puis complétez le tableau.

0	1	2	3	4	5	6	7	8	9
zéro	un	deux	trois	quatre	cinq	six	sept	huit	neuf

10	11	12	13	14	15	16	17	18	19
dix	onze	douze	treize	quatorze	quinze	seize	dix-sept	dix-huit	dix-neuf

20	21	22	23	24	25	26	27	28	29
vingt	vingt et un	vingt-deux	….	….	….	….	….	….	….

5. Lisez les codes.

a. 05 08 16   **b.** Tél : 03 09 12 18 04   **c.** V 01 10 17   **d.** NF 15 07   **e.** MPX 20 02 11

2. UNE BRIGADE DE CUISINE

1 Découvrir la brigade

La brigade se compose de l'ensemble du personnel de la cuisine.

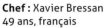
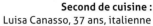

Chez Michelle
10, rue de la Houle – 33000 Bordeaux
Tél. 05 56 27 18 33
chezmichelle@internet.com

Chef : Xavier Bressan
49 ans, français

Second de cuisine :
Luisa Canasso, 37 ans, italienne

	Garde-manger	Entremétier	Rôtisseur	Saucier	Poissonnier	Pâtissier
Chefs de partie	Sam Daglish 41 ans, irlandais	Karla Tosky 27 ans, polonaise	Houcine Salem 32 ans, algérien	Christine Ober 30 ans, canadienne	Youri Salis 34 ans, grec	Aline Pommard 40 ans, française
Commis de cuisine	• Iris Gomez, 21 ans, espagnole	• Rosa Mendoza 23 ans, colombienne • Youssef Ben Amar 23 ans, tunisien	• Li Yung 22 ans, chinoise • Sam Hoot, 20 ans, américain	• Andrea Tardelli, 21 ans, italien	• Dieter Mersch 21 ans, allemand • Corinne Merlin 23 ans, française	• Eva Osvig 22 ans, suédoise • Sylvie Alibard 20 ans, suisse
Apprentis	Igor Meskov, 18 ans, russe – Jacques Lerme, 17 ans, belge – Fatima Alwara, 18 ans, anglaise – Fernando Peixa, 19 ans, portugais					

1. Interrogez-vous à tour de rôle comme dans l'exemple et épelez les noms.

• *Comment s'appelle le second de cuisine ?*
→ *Elle s'appelle Luisa Canasso, C A N A S S O.*

RECETTE DE GRAMMAIRE

Les pronoms personnels sujets	Le verbe *s'appeler*
je	je **m'**appelle
tu	tu **t'**appelles
il / elle / on	il **s'**appelle
nous	nous **nous** appelons
vous	vous **vous** appelez
ils / elles	ils **s'**appellent

2. Qui fait quoi ? Écoutez et associez.

a. Nous aidons les chefs de partie. •
b. Je suis responsable des marchandises.
c. Je suis responsable des sauces. •
d. Je suis responsable du poisson. •

• Le saucier
• Le garde-manger
• Le poissonnier
• Les commis

Les mots pour

Les nationalités

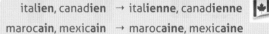
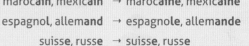

	Masculin		Féminin
	français, japonais	→	française, japonaise
	italien, canadien	→	italienne, canadienne
	marocain, mexicain	→	marocaine, mexicaine
	espagnol, allemand	→	espagnole, allemande
	suisse, russe	→	suisse, russe

2 Spécialités internationales

3. De quels pays sont les spécialités suivantes ?

• *Les crêpes ?* → *Les crêpes, c'est une spécialité française.*

La choucroute

Les lasagnes

La paella

Le couscous

1 La fiche de renseignements

Nom : *Daglish*
Prénom : *Sam*
Fonction : *garde-manger*
Âge : *44 ans*
Lieu de naissance : *Dublin*
Nationalité : *irlandais*
Situation de famille : *marié, un enfant*
Loisirs : *escalade, cinéma*
Adresse : *6, rue de Toulouse,*
à Bordeaux
Téléphone : *05 45 19 21 30*
Courriel : *sd70@yahoo.com*

1. Commentez la fiche de renseignements de Sam Daglish.

a. Âge → Il a ...... *44 ans* ......
b. Lieu de naissance → Il est né à ...... *Dubin* ......
c. Adresse → Il habite ....
d. Fonction → Il est ....
e. Loisirs → Il aime ....

La situation de famille

marié(e)   divorcé(e)

célibataire

La famille (le père, la mère, le frère, la sœur)

🎧 2. Écoutez les deux messages et complétez les fiches de renseignements.

Nom : ....
Prénom : ....
Fonction : ....
Âge : ....
Lieu de naissance : ....
Nationalité : ....
Situation de famille : ....
Adresse : ....
....
Téléphone : ....
Courriel : ....

3. Vous êtes un personnage de la brigade : présentez-vous aux autres !

RECETTE DE GRAMMAIRE	
■ Être	■ Avoir
je suis	j'ai
tu es	tu as
il/elle/on est	il/elle/on a
nous sommes	nous avons
vous êtes	vous avez
ils/elles sont	ils/elles ont

1 Complétez avec un pronom personnel.

a. ...... suis cuisinier.
b. ...... avons un rendez-vous.
c. ...... as le pain ?
d. ...... êtes péruvien ?
e. ...... est saucier.
f. ...... sont responsables du poisson.

2 Conjuguez « être » et « avoir ».

a. Nous *(être)* apprentis.
b. J'*(avoir)* un ami français.
c. Ils *(avoir)* 15 ans.
d. Tu *(être)* italienne ?
e. Elles *(être)* commis de cuisine.
f. Vous *(avoir)* un frère ou une sœur ?

1 Connaître les légumes

Les légumes verts sont les légumes frais.

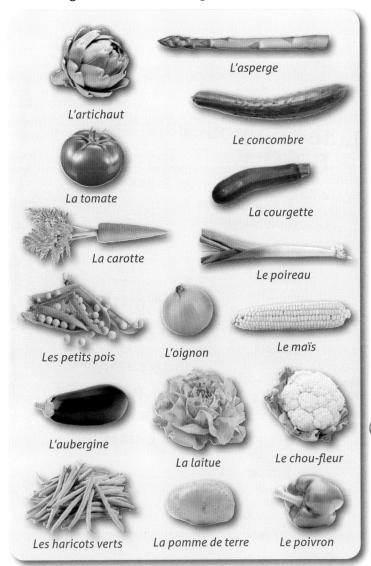

- L'artichaut
- L'asperge
- La tomate
- Le concombre
- La carotte
- La courgette
- Le poireau
- Les petits pois
- L'oignon
- Le maïs
- L'aubergine
- La laitue
- Le chou-fleur
- Les haricots verts
- La pomme de terre
- Le poivron

RECETTE DE GRAMMAIRE

L'article

	Masculin	Féminin	Pluriel
Article défini	le / l'	la / l'	les
	le garçon	la fille	les garçons / les filles
	le commis	l'étudiante	les commis / les étudiantes
Article indéfini	un	une	des
	un homme	une femme	des hommes / des femmes

1 Écoutez et complétez avec un article : *le, la, l', les*

a. ... courgettes
b. ... asperge
c. ... poivron
d. ... haricots
e. ... oignon
f. ... maïs
g. ... aubergine
h. ... carottes
i. ... tomate

---

1. Regardez l'image. Quels légumes achetez-vous aujourd'hui ?

→ *Aujourd'hui, j'achète ...*
→ *Au marché, il y a ...*

2. a. Écoutez le second du restaurant et complétez la feuille de marché avec les légumes suivants.

oignon – asperge – carotte – concombre – courgette – aubergine – haricots – tomate – pomme de terre – laitue – petits pois

Feuille de marché du 09/07/2014			
Produits	Unité kilo (kg)	Stock	Commande
Asperge	kg	2	....
....	kg	0	....

b. Relisez la commande et vérifiez vos réponses ensemble.

3. Classez par couleur les légumes de l'encadré.

Rouge	Jaune	Vert	Noir
....	....	....	....

Orange	Blanc	Bleu	Violet
....	....	....	....

1 La saladerie

1. Composez trois salades différentes.
- Une salade avec 5 ingrédients différents.
- Une salade avec des ingrédients verts.
- Une salade avec des ingrédients blancs.

Salade composée
8,60 €

Composez votre salade sur un lit de laitue :
choisissez 5 ingrédients !
+ une sauce au choix

Tomates — Carottes râpées — Gruyère — Quinoa

Concombre — Champignons — Mini mozarella — Pâtes

Maïs — Chou rouge — Noix — Riz

Avocat — Endives — Œuf dur — Bacon

Betteraves — Chèvre — Soja — Thon

Formule
10,80 €

Salade composée
+ pain
+ dessert
+ boisson

■ **Sauces**
- Vinaigrette • Mayonnaise • Cocktail

■ **Pain :** 0,90 €

■ **Salades préparées :**
- Salade verte et vinaigrette 2 €
- Salade concombre tomates, feta 5,50 €
- Salade avocat, crevettes, sauce cocktail 6 €

La vinaigrette
- 30 cl d'huile d'olive
- 10 cl vinaigre
- 1 cuillère à soupe de moutarde
- Sel et poivre

... LES SALADES

2. Écoutez les ingrédients des trois recettes de salades et complétez les fiches.

Salade fraîcheur

Ingrédients
- ...... petits ....
- 1 ....
- ....
- 80 grammes de ....
- ....
- Persil
- Huile d'olive
- Sel et poivre

Salade à la grecque

Ingrédients
- ....
- ....
- ....
- 1...
- 100 grammes de ....
- Persil
- .... et ....

Salade tunisienne

Ingrédients
- ....
- ....
- ....
- ....
- 2 .... durs
- Olives .... et ....
- 1 boîte de thon
- Huile d'olive
- Menthe
- ....

➷ **Et maintenant, vous pouvez préparer ces salades chez vous !**

Fiche cuisine

Salade au chèvre chaud

C'est une salade rapide et très appréciée en France !

Temps de préparation : 20 minutes
Ingrédients (pour 6 personnes)
- Pain de campagne (6 tranches)
- 1 laitue romaine ou batavia
- 2 tomates
- Fromage de chèvre (6 unités)
- 200 g de lardons
- 1 gousse d'ail

... et la vinaigrette ? Indiquez les ingrédients.

PROJET

La salade de la classe

Vous créez la salade de la classe.

Par petits groupes, sélectionnez des ingrédients pour faire une salade originale.

Présentez votre choix à vos camarades. Donnez un nom à votre salade.

Maintenant réalisez la salade et dégustez ensemble les salades ! Choisissez la salade de la classe.

1 Écoutez et complétez le dialogue.

– ...... Madame.
– Bonjour ......
– Je ...... Pablo, je suis ...... péruvien.
– Ah Pablo , bienvenu ! Je .... Michelle, je suis la responsable du .... Comment ...... ?
– Je vais très bien, ...
– Mon numéro de téléphone ...... le ....
Je te présente Luisa, le .... Elle est ....

2 Complétez la fiche de renseignements suivante avec vos coordonnées.

Nom : ....
Prénom : ....
Âge : ....
Date de naissance : ....
Lieu de naissance : ....
Nationalité : ....
Situation de famille : ....
Adresse : ....
....
Téléphone : ....
Courriel : ....
Fonction en cuisine : ....
Loisirs : ....
....

3 Utilisez la fiche de renseignements pour vous présenter à la classe.

4 Écoutez et associez chaque personnage à sa fonction et à son restaurant.

Marco •	• suisse •	• pâtissier •	• Chez Laurent
Paola •	• italien •	• rôtisseur •	• L'Auberge aux Saveurs
Helen •	• suédoise •	• apprenti •	• Château Martel
Yumé •	• brésilienne •	• entremétier •	• Le Bistrot gourmand
Karl •	• japonaise •	• chef •	• La Brasserie de la Gare

5 Vrai ou faux ?

	Vrai	Faux
a. L'entremétier est responsable du poisson.	❏	❏
b. Les tomates sont rouges.	❏	❏
c. Il faut de la moutarde, de l'huile, du vinaigre, du sel et du poivre pour la vinaigrette.	❏	❏
d. Les commis aident les chefs de partie.	❏	❏
e. L'apprenti est un légume.	❏	❏
f. Les pommes de terre sont bleues.	❏	❏
g. Les légumes frais s'appellent les légumes verts.	❏	❏
h. Le roquefort est une spécialité anglaise.	❏	❏

6 Complétez avec le verbe *être* ou le verbe *avoir*.

a. Paul ... le chef.
b. Marina et Théo ... les commis.
c. Tu ... 25 ans.
d. Laure ... belge.
e. J'... deux sœurs.
f. Vous ... français ?

7 Complétez avec un article.

a. Louise achète ... légumes.
b. ... chef, c'est Thomas
c. ... choucroute, c'est français.
d. C'est ... bon apprenti.
e. J'achète ... poivrons.

UNITÉ 2
Cuisine et restaurant

Au menu

❏ Situer dans l'espace

❏ Se repérer dans un restaurant et dans la cuisine

❏ Découvrir et présenter les locaux et les équipements

❏ Situer dans le temps

❏ Comprendre un planning

Plat du jour

❏ Les crêpes

Et pour finir...

❏ Vous organisez une visite de votre école et de votre laboratoire de cuisine.

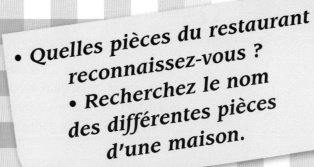

• Quelles pièces du restaurant reconnaissez-vous ?
• Recherchez le nom des différentes pièces d'une maison.

1 Chacun sa place

**1. Classez les locaux en deux catégories :
« Pour les clients » et « Pour le personnel ».**

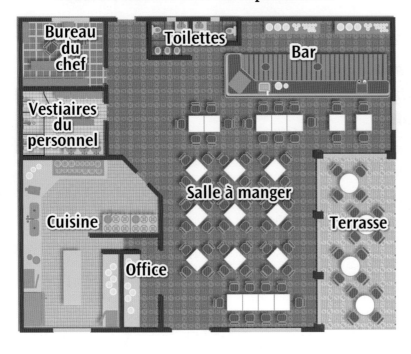

🎧 **2. Écoutez. Quel est le local ?**
• *C'est ...*

3. Où êtes-vous dans la classe ? Répondez.
• *Je suis à côté de Michel, devant Sarah
et derrière Pauline.*

Situer

à droite   à gauche

entre   devant

derrière/au fond   sur/dessus   sous/dessous

près de ≠ loin de

• à côté de
• au milieu
• en face de
• ici, là ≠ là-bas

RECETTE DE GRAMMAIRE

■ L'article contracté

• à + le → *Ils vont **au** vestiaire.*
• à + les → *Il va **aux** toilettes.*
• de + le → *C'est en face **du** bar.*
• de + les → *C'est à gauche **des** salons.*

🎧 **4. Écoutez et cochez la bonne réponse.**

	Vrai	Faux
a. Albert va dans le garde manger.	❑	❑
b. Les commis vont sur la terrasse.	❑	❑
c. Les clients vont dans la cuisine.	❑	❑
d. Le directeur va dans le bureau et dans la cuisine.	❑	❑
e. Sophie va dans le garde manger.	❑	❑

RECETTE DE GRAMMAIRE

■ *Aller* au présent de l'indicatif

je vais
tu vas
il/elle/on va
nous allons
vous allez
ils/elles vont

**1 Complétez avec les articles suivants :
*aux, à la, de la, de l', du, des***

a. Il est responsable ... cuisine
b. Vous allez ... salle à manger ?
c. C'est la porte ... couloir.
d. Le chef parle ... apprentis.
e. J'aime la couleur ... entrée.
f. La cuisine est en face ... chambres.

2. LES REPAS

1 À chaque moment son repas

 1. Écoutez et associez chaque repas au moment de la journée.
  • l'apéritif – le déjeuner – le goûter – les en-cas – le petit-déjeuner – le dîner

Le matin

À midi

Avant le déjeuner ou le dîner

L'après-midi

Le soir

Toute la journée

2 Le petit-déjeuner

 2. Écoutez. Qu'est-ce qu'ils prennent au petit-déjeuner ?
  a. Basile : …
  b. Ingrid : …
  c. Stella : …
  d. Et vous, qu'est-ce que vous prenez au petit-déjeuner ?

RECETTE DE GRAMMAIRE

▦ *Prendre* **au présent de l'indicatif**

je pren**ds**
tu pren**ds**
il/elle/on pren**d**
nous pren**ons**
vous pren**ez**
ils/elles prenn**ent**

3 Phonétique

 3. Écoutez et répétez. Certaines lettres ne se prononcent pas : barrez-les.
  a. le thé   **d.** la confiture
  b. le lait   **e.** les céréales
  c. du jus   **f.** ils prennent

RECETTE DE GRAMMAIRE

L'article partitif

▦ Il s'utilise avec une quantité indénombrable.
• Il demande **du** jus d'orange.
• J'apporte **de la** confiture.
• Elle prend **de l'**eau.
• Nous aimons le lait avec **des** céréales.

1 **Complétez avec un article partitif :** ***du, de la, de l', des***

- -

  a. Sur la table, il y a … biscuits et … sauce.
  b. Tu vas au marché, alors tu prends … miel et … haricots.
  c. Le matin, Pierre mange … jambon, … œufs et … yaourt.
  d. Au goûter, Anna prend … pain et … chocolat.

Les mots pour

Sucré :	Salé :	Boisson :
• Le pain	• L'œuf	• Le café
• Le croissant	• Le jambon	• Le thé
• La viennoiserie	• Le fromage	• Le lait
• Les céréales		• Le jus d'orange
• Le yaourt		
• Le fruit		
• La confiture		
• Le miel		

1 La cuisine du restaurant

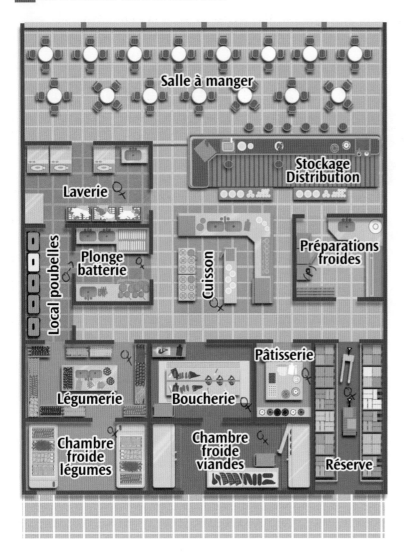

🎧 **1. Écoutez la visite de la cuisine et retrouvez la fonction de chaque local.**

a. On épluche les légumes dans …
b. On nettoie le matériel de cuisine dans …
c. On jette les déchets dans …
d. On prépare les viandes dans …
e. On conserve les aliments périssables dans …
f. On conserve les aliments non périssables dans …

2. Classez les locaux de la cuisine en quatre zones de travail différentes.
• *stockage – préparation des produits – réalisation des plats – nettoyage*

Les mots pour

Décrire
• **C'est** la chambre froide.
• Ici, **il y a** la réserve.
• **Voici** la laverie.
• **Voilà** la salle à manger.

RECETTE DE GRAMMAIRE

Les verbes en -*er* au présent de l'indicatif

■ Cuisiner	■ Manger
je cuisine	je mange
tu cuisines	tu manges
il/elle/on cuisine	il/elle/on mange
nous cuisinons	nous mangeons
vous cuisinez	vous mangez
ils/elles cuisinent	ils/elles mangent

■ *ranger* et *changer* se conjuguent comme *manger*.

➡ Tableaux de conjugaison p. 98.

1 Conjuguez au présent de l'indicatif

a. J'(*aimer*) aller au restaurant.
b. L'apprenti (*conserver*) le lait dans la chambre froide.
c. Nous (*cuisiner*) la spécialité du chef.
d. Vous (*préférer*) les plats salés ou sucrés ?
e. Tu (*travailler*) au *Bistrot parisien* ?
f. Pour le déjeuner, nous (*manger*) une salade.
g. Hans et Sylvie (*préparer*) un dessert.

1 Dans la cuisine

1. Qui utilise les équipements ? Pour quoi faire ? Interrogez-vous à deux comme dans l'exemple.

• *Qui utilise les placards et les étagères ? Pour quoi faire ?*
→ *C'est l'apprenti. Il utilise les placards et les étagères, pour ranger les ustensiles.*

La salamandre
Pour gratiner ou réchauffer rapidement.

Le four
Pour cuire les aliments.

La friteuse
Pour frire les aliments.

Le gril
Pour griller les viandes et les poissons.

Le fourneau
Pour cuire les aliments.

La plonge
Pour laver les ustensiles.

La hotte aspirante
Pour aspirer les vapeurs de cuisson.

• **La rôtissoire**
Pour faire rôtir les viandes.
• **Le plan de travail**
Pour effectuer les préparations.
• **Le placard et les étagères**
Pour ranger les ustensiles et les ingrédients.

 2. Écoutez l'enregistrement et complétez le plan de nettoyage.

PLAN DE NETTOYAGE (semaine du 13/04 au 20/04)		
Équipement	La rôtissoire	.....
Responsable	le commis rôtisseur	
Lundi	✕	
Mardi		
Mercredi		
Jeudi		
Vendredi		
Samedi		
Dimanche		

Les mots pour

Les jours de la semaine

Lundi	Vendredi
Mardi	Samedi
Mercredi	Dimanche
Jeudi	

RECETTE DE GRAMMAIRE

Le présent de l'indicatif

▪ **Balayer**	▪ **Nettoyer**	▪ **Essuyer**
je balaie	je nettoie	j'essuie
tu balaies	tu nettoies	tu essuies
il/elle/on balaie	il/elle/on nettoie	il/elle/on essuie
nous balayons	nous nettoyons	nous essuyons
vous balayez	vous nettoyez	vous essuyez
ils/elles balaient	ils/elles nettoient	ils/elles essuient

1 Conjuguez au présent de l'indicatif.

a. Je (*nettoyer*) la cuisine.
b Vous (*essuyer*) les étagères.
d. Tu (*balayer*) la réserve.
c. Elle (*essuyer*) la hotte aspirante.
e. Ils (*balayer*) la terrasse.
f. Nous (*nettoyer*) le plan de travail.

On aime beaucoup les crêpes
en France ! On mange
des crêpes à tous les repas,
à la maison, dans une crêperie,
ou dans la rue. Elles sont
sucrées ou salées et il y a des
dizaines de garnitures possibles...

1 La crêperie

1. Voici la recette des crêpes.
Mettez les phrases dans l'ordre.

   a. Verser la pâte dans une poêle.

   b. Mélanger les ingrédients avec un fouet.

   c. C'est prêt !

   d. Faire cuire des deux côtés.

   e. Réunir la farine, les œufs, et une pincée
     de sel dans une calotte.

   f. Ajouter du lait.

   g. Laisser reposer la pâte.

2. Lisez la recette de la pâte à crêpes
et retrouvez les ingrédients nécessaires.

   J'ai besoin de : ..... ; ..... ; ..... ; ..... ; .....

La pâte à crêpes

Une calotte
et un fouet

2 La Chandeleur

3. **Le 2 février, c'est la Chandeleur. Ce jour-là, on mange des crêpes ! Cette année, le chef propose des crêpes originales. Écoutez et complétez.**
   - Le chef propose :
   - – En entrée : ....
   - – Comme plat principal : ....
   - – En dessert : ....

4. **Et vous, est-ce que vous connaissez une recette de crêpes ?**

Fiche cuisine

Mini-crêpes soufflées au jambon
Une recette simple et rapide pour l'apéritif.

Temps de préparation : 10 minutes
Cuisson : 15 minutes
Ustensiles : un moule à mini ; une calotte ; un fouet
Ingrédients :
- 2 œufs
- 25 cl de lait
- 120 g de farine
- 2 tranches de jambon
- 80 g de gruyère râpé

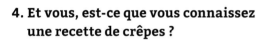

Préparation :
– Disposez la farine dans une calotte.
– Ajoutez les œufs et mélangez avec un fouet.
– Versez le lait et continuez de mélanger.
– Coupez le jambon en petits morceaux.
– Préchauffez le four thermostat 6 (180°).
– Mettez le jambon dans chaque moule.
– Versez un peu de pâte et mettez le gruyère râpé.
– Faites cuire 15 minutes au four.
– Laissez refroidir et démoulez. C'est prêt !

Suggestion : remplacez le jambon par des lardons, du saumon fumé, des miettes de crabe...

Secret de cuisine
Traditionnellement, on fait sauter les crêpes. On lance la crêpe en l'air et elle doit retomber dans la poêle.

PROJET

Vous organisez une visite de votre école et de votre laboratoire de cuisine.

- ◆ Par groupe de deux ou trois, choisissez un itinéraire de visite. N'oubliez aucun lieu important, et pensez à tous les équipements.
- ◆ Préparez votre visite au moyen d'une fiche. Répartissez-vous la présentation des espaces et des équipements de cuisine.
- ◆ Faites votre visite devant le reste du groupe.

Culture gastronomique

Mille et une manières de se restaurer

La restauration rapide

Au restaurant

La brasserie

Un café

Une salle de restaurant

Un bar à vin

Manger à la maison ou à l'extérieur ?

En France, le repas à la maison est très important. Les repas en dehors de la maison représentent seulement 17 % des repas. Ce n'est pas beaucoup : en Grande-Bretagne, par exemple, ils représentent 30 % des repas. En France, 10 milliards de repas sont servis en dehors de la maison. Beaucoup de clients sont étrangers, la France est un pays très touristique et la gastronomie française est très appréciée. Un repas hors de la maison coûte environ 9 euros.

D'après Eurogroup consulting – Étude économique sur le secteur de la restauration, février 2012.

1. **D'après vous, quelles sont les informations les plus importantes ?**

Les formules de restauration

▦ Il y a deux grands secteurs dans la restauration :
la restauration commerciale et la restauration collective.
- **La restauration collective :** les hôpitaux, les écoles,
  les restaurants d'entreprise...
- **La restauration commerciale :** les restaurants
  traditionnels, les cafétérias, les pizzerias, les bistrots...

▦ Il y a une grande variété de formules de restauration,
plus ou moins rapides. Les restaurants traditionnels sont
des restaurants gastronomiques, des restaurants d'hôtel,
des brasseries... La restauration rapide désigne les snack-
bar, les sandwicheries, les viennoiseries, les boulangeries-
pâtisseries...

1. **Qu'est-ce que c'est une cafétéria ?**
2. **Qu'est-ce que c'est une viennoiserie ?**

Une brasserie parisienne

Amédée Balzar crée, en 1886,
la brasserie *Le Balzar*,
à Paris, près de la Sorbonne.
Les étudiants fréquentent
cette brasserie typiquement
parisienne. La carte propose
les grands classiques de la
gastronomie : poireaux-vinaigrette,
œufs mayonnaise... Chaque jour de la semaine correspond
à un plat emblématique : le mardi c'est l'omelette aux fines
herbes, par exemple, et le mercredi, c'est la sole meunière.
Le Balzar est un lieu incontournable de la vie littéraire,
artistique et universitaire de Paris. Artistes, écrivains,
professeurs de lettres ou de médecine, hommes politiques :
tous mangent au *Balzar* !

1. **De quel type de restaurant s'agit-il ?**
2. **Où est-il situé ?**
3. **Quelle est la clientèle du *Balzar* ?**
4. **Quels plats sont cités dans le texte ?**

Le croque-monsieur

Le croque-monsieur est un
célèbre sandwich chaud français.
Il apparaît pour la première fois
dans les cafés parisiens au début
du xxᵉ siècle. On trouve souvent
les croque-monsieur au menu
des brasseries. Il est idéal pour
les déjeuners rapides.

Ingrédients (pour 2 personnes)
- 4 tranches de pain de mie
- 80 g de gruyère
- 2 tranches de jambon blanc
- Beurre
On ajoute parfois de la sauce béchamel.

Préparation
– Sur une tranche de pain de mie,
  placez une fine tranche de gruyère.
– Placez le jambon sur le gruyère,
  puis ajoutez une autre tranche de
  gruyère.
– Refermez avec une tranche de pain de mie.
– Beurrez les deux faces du croque-monsieur
– Faites cuire dans un gril spécial croque monsieur
  ou dans une poêle.

Secret de cuisine

Un croque-monsieur avec un œuf
sur le plat dessus s'appelle
un croque-madame !

1 Complétez avec les verbes suivants.

• êtes – nettoient – travaille – s'appelle – rangeons – mélanges – essuyez – mangent – lave

a. Nous ... les ustensiles dans les placards.
b. Elle ... Marie et elle ... *Chez Michelle*.
c. Les clients ... une salade sur la terrasse.
d. Tu ... les œufs et la farine avec le lait.
e. Vous ... responsables de la plonge-batterie ce soir.
f. Les apprentis ... le fourneau et le four.
g. Il ... les légumes.
h. Vous ... la vaisselle.

2 Complétez avec un article.

a. ... fouet est sur ... étagère, derrière ... calottes.
b. ... gaufres, c'est bon avec ... sucre ou ... confiture.
c. ... chef poissonnier va ... marché à côté ... restaurant.
d. Il prend ... aubergines pour ... salade ... chef.
e. ... après-midi, il faut jeter ... déchets.
f. ... chef parle ... commis.

3 Complétez les phrases avec le verbe *aller*.

a. Les commis ... dans la cuisine.
b. Nous ... dans le garde-manger.
c. Le chef ... dans salle.
d. Léa et Léo ... au restaurant.
e. Tu ... au restaurant mardi ?
f. Vous ... sur la terrasse.

4 Écoutez ces messages. Cochez la bonne case.

a. Conversation 1
• Au petit-déjeuner, il y a...

	Oui	Non
du pain	❏	❏
de la confiture	❏	❏
des crêpes	❏	❏
des croissants	❏	❏
du fromage	❏	❏
du yaourt	❏	❏
du café	❏	❏
du jus d'orange	❏	❏

b. Conversation 2
• Au petit-déjeuner, elle prend...

	Oui	Non
du lait	❏	❏
des céréales	❏	❏
des viennoiseries	❏	❏
des œufs	❏	❏
des fruits	❏	❏
du jambon	❏	❏
du yaourt	❏	❏

5 Décrivez la cuisine et situez les équipements.

UNITÉ 3
Dans les règles

Au menu

- ❑ Interroger
- ❑ Parler de sa tenue professionnelle
- ❑ Comprendre et respecter des règles de sécurité et d'hygiène
- ❑ Comprendre et donner un ordre
- ❑ Découvrir les fruits

Plat du jour

- ❑ Salade de fruits d'été

Et pour finir...

- ❑ Vous publiez une recette de jus de fruit sur un site ou un blog.

Quels vêtements des tenues professionnelles connaissez-vous ?

1 Allô docteur...

Le corps

La tête

Le dos

Le(s) doigt(s)

Le(s) bras

La (les) main(s)

Le ventre

La (les) jambe(s)

Le(s) pied(s)

Le visage

Les cheveux

L'œil / Les yeux

L' (les) oreille(s)

La (les) joue(s)

Le nez

La bouche

La (les) lèvre(s)

🎧 **1. Écoutez la conversation. Où le chef a-t-il mal ?**
  • Le chef a mal...

2. Complétez avec les parties du corps.
  • les pieds – le nez – la bouche – les mains – les oreilles – les yeux

  a. On parle avec ...   **d.** On regarde avec ...
  b. On écoute avec ...   **e.** On sent avec ...
  c. On marche avec ...

Les mots pour

Les 5 sens
• La vue → les yeux : regarder / voir   • Le toucher → les doigts : toucher
• L'ouïe → Les oreilles : écouter/   • Le goût → la bouche : goûter
  entendre   • L'odorat → le nez : sentir

RECETTE DE GRAMMAIRE

■ L'interrogation

• *Tu es malade ?* (intonation ↗)
• ***Est-ce que*** *tu es malade ?*
• ***Qui*** *est avec le chef ?*
• ***Où*** *sont les commis ?*
• ***Quand*** *le docteur arrive ?*
• ***Comment*** *va le chef ?*

1 Trouvez les questions.

  a. Non, je n'aime pas le chocolat.   **c.** Ils arrivent le matin.
  b. Nous sommes à l'économat.   **d.** Il s'appelle Dieter.

🎧 **2** Écoutez. Est-ce que c'est une question (↗) ou une déclaration (↘) ?

2 Les cinq sens

3. Comment vérifier la qualité de ces aliments ? Dites le sens utilisé.

De la sauce

Du poisson

Des fruits

Des pâtes

2. LA TENUE PROFESSIONNELLE

1 La tenue de travail

Une toque

Un calot

Un tour de cou

Une veste

Un torchon

Un pantalon (pied de poule)

Des chaussures de sécurité (antidérapantes)

Un tablier

1. Observez les images et répondez.
a. Qu'est-ce que le cuisinier porte sur la tête ?
b. Qu'est-ce qu'on met sur les jambes ?
c. Qu'est ce que le cuisinier a autour du cou ?
d. Qu'est-ce qu'on met aux pieds dans la cuisine ?

2. a. Lisez ce dialogue puis jouez la scène à deux.
Valentine : Tes vêtements sont prêts ?
Jean : Oui ! J'ai mon tablier et mon pantalon, et je prends aussi ce torchon.
Valentine : Cette veste noire est belle.
Jean : Oui, mais je prends ma veste blanche.
Valentine : Tu as tes chaussures de sécurité ?
Jean : Non ! Et je prends ma toque ou mon calot ?
Valentine : Ta toque. Tu es beau avec ta toque !
Au revoir, bonne journée. Ah ! Tu oublies son tour de cou...

b. Complétez.
• Jean prend ...   • Jean oublie ...

c. À deux, imaginez un dialogue sur le même modèle.

3. Écoutez, notez les vêtements de la tenue professionnelle.

4. Écoutez et répondez.
a. Qu'est ce que Luisa achète ?
b. Quelle est sa taille ? Et sa pointure ?
c. Comment va la veste à Luisa ?
d. Est-ce que la toque coûte cher ? Justifiez.

RECETTE DE GRAMMAIRE

■ L'adjectif possessif

Masculin	Féminin	Pluriel
mon	ma	mes
ton	ta	tes
son	sa	ses
notre	notre	nos
votre	votre	vos
leur	leur	leurs

1 Complétez avec un vêtement.

a. Mon ...   d. Tes ...
b. Vos ...   e. Notre ...
c. Sa ...   f. Leur ...

RECETTE DE GRAMMAIRE

■ L'adjectif démonstratif

Masculin	Féminin	Pluriel
ce tablier	cette toque	ces pantalons
cet hôtel		ces chaussures
cet appareil		

2 Complétez avec un adjectif démonstratif.

a. ... veste est belle.
b. Je préfère ... tablier.
c. ... clients ont des pantalons.
d. ... apprenti porte des chaussures blanches.

5. Vous achetez vos vêtements professionnels dans un magasin spécialisé. Un apprenant est le vendeur, un apprenant est le client. Jouez la scène à deux.

3. SUIVEZ LES CONSIGNES

1 Je respecte les consignes

1. Lisez Le règlement intérieur et répondez.

a. Dans la cuisine, on peut …

b. Dans la cuisine, on ne peut pas …

c. Imaginez d'autres règles à respecter.

2. Que signifient ces indications ? Répondez par une phrase à l'impératif avec les verbes suivants.

• *nettoyer – jeter – téléphoner – laver*

🎧 **3. Écoutez l'enregistrement.**
Notez les recommandations du chef.

4. Complétez les règles d'hygiène corporelle et vestimentaire de la cuisine.

• *la tête – les doigts – un torchon – vos mains – un tablier*

a. Lavez … avant de rentrer en cuisine.

b. Portez une toque sur … .

c. Changez … sale.

d. Ne mettez pas … dans les plats.

e. Prenez les plats chauds avec … .

Règlement

- Portez une tenue professionnelle dans la cuisine.
- Faites attention aux équipements : ils sont dangereux.
- Respectez les consignes de sécurité et d'hygiène.
- Ne fumez pas dans la cuisine.
- Rangez les couteaux.
- Nettoyez votre poste de travail après le service.

RECETTE DE GRAMMAIRE

Pouvoir au présent de l'indicatif

je peux	nous pouvons
tu peux	vous pouvez
il/elle/on peut	ils/elles peuvent

▪ *Pouvoir* + verbe à l'infinitif.
• *Tu **peux nettoyer** la cuisine ?*

RECETTE DE GRAMMAIRE

L'impératif

• Pas de pronom personnel sujet
• 3 personnes

▪ **Respecter**	▪ **Faire**
Respecte	Fais
Respectons	Faisons
Respectez	Faites

➡ **Tableaux de conjugaison p. 98.**

1 Conjuguez à l'impératif à la personne indiquée entre parenthèses.

a. Préparer les légumes pour la cuisson (tu)

b. Mélanger les ingrédients (vous)

c. Prendre la calotte et le fouet (tu)

d. Faire attention au feu (vous)

e. Aller à la plonge (tu)

f. Fermer la porte (vous)

Zoom sur...

LES FRUITS

1 Connaître les fruits

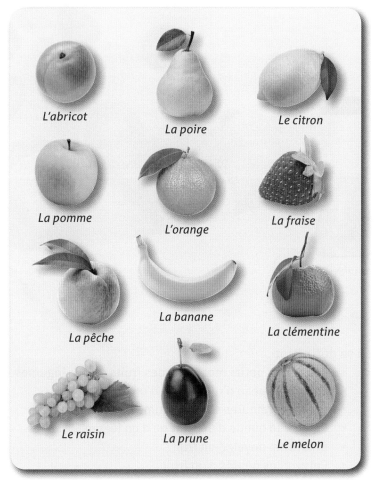

L'abricot
La poire
Le citron
La pomme
L'orange
La fraise
La banane
La pêche
La clémentine
Le raisin
La prune
Le melon

1. Classez les fruits de la planche selon leurs caractéristiques.

Les agrumes	Les fruits rouges	Les fruits à pépins	Les fruits à noyaux
...	...	...	...

2. Regardez l'image. Quels fruits mettez-vous dans votre panier ?
 • *Dans mon panier, j'ai ...*

2 À chaque saison ses fruits

🎧 **3. Écoutez le primeur, monsieur Doroit.**
   a. Notez les fruits proposés pour chaque saison.
   b. Quels sont les fruits exotiques pour les Français ?

RECETTE DE GRAMMAIRE

Le présent de l'indicatif des verbes en -IR et -RE

▪ Choisir	▪ Servir	▪ Mettre
je choisis	je sers	je mets
tu choisis	tu sers	tu mets
il/elle/on choisit	il/elle/on sert	il/elle/on met
nous choisissons	nous servons	nous mettons
vous choisissez	vous servez	vous mettez
ils/elles choisissent	ils/elles servent	ils/elles mettent

Les verbes *finir* et *remplir* se conjuguent comme choisir.

➡ **Tableaux de conjugaison p. 98.**

Les mots pour

Les saisons
 • Le printemps (mars, avril, mai)
 • L'été (juin, juillet, août)
 • L'automne (septembre, octobre novembre)
 • L'hiver (décembre, janvier, février)

1 **Conjuguez au présent.**

- -

   a. Vous (*servir*) du jus de fruits.
   b. Je (*mettre*) les poires sur la table.
   c. Tu (*choisir*) les agrumes.
   d. On (*sortir*) de la réserve.
   e. Ils (*prendre*) des cerises pour la tarte.
   f. Nous (*finir*) le plat
   g. Ils (*servir*) la salade.

En cuisine

1 Préparer les fruits

1. Pour quels fruits utiliser ces ustensiles ?

La centrifugeuse

Le couteau canneleur

Le couteau économe

Le mixeur

Le vide-pomme

Le dénoyauteur

Canneler une orange.

2. Associez le verbe à sa définition.

Canneler	• •	Couper en petits morceaux des fruits ou des légumes.
Équeuter	• •	Enlever la peau d'un fruit ou d'un légume.
Dénoyauter	• •	Faire des rainures sur un agrume ou un légume.
Épépiner	• •	Enlever la queue d'un fruit ou d'un légume.
Détailler	• •	Enlever le noyau d'un fruit.
Éplucher	• •	Enlever les pépins d'un fruit.

3. Notez le nom d'un fruit sur une feuille de papier. Vos camarades posent des questions pour découvrir le fruit. Variez les formes d'interrogation.

2 Les jus de fruits

4. Complétez la recette avec les ingrédients, les ustensiles et les phrases ci-dessous. Attention, les éléments sont dans le désordre !

* *un mixeur – oranges – une centrifugeuse – mangue*
* *Pressez le citron et ajoutez le jus dans le mixeur.*
* *Épluchez d'abord la mangue. Enlevez le noyau. Détaillez la mangue en gros cubes.*
* *Pour finir, mixez pour obtenir un jus homogène.*
* *Enfin, ajoutez les morceaux de mangue.*

Jus de mangue, d'oranges et de citron vert

Ingrédients (pour 2 grands verres)
* 1 ....
* 4 ....
* 1 citron vert

Ustensiles :
* ....
* ....

Préparation :
– ....
– Récoltez ensuite le jus des oranges avec la centrifugeuse. Versez le jus dans le mixeur.
– ....
– ....
– ....

C'est prêt ! Mettez au frais.

5. Écoutez et complétez.

a. Une rondelle de ....
b. Un quartier de ....
c. Une tranche de ....
d. Une peau de ....

e. Une queue de ....
f. Un grain de ....
g. Un zeste de....

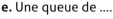

Fiche cuisine

Salade de fruits d'été

Temps de préparation : 15 minutes
Ustensiles : une casserole, un bol, un saladier, des verrines
Ingrédients (pour 6 personnes) :

- 6 abricots
- 6 pêches
- 3 nectarines
- 1 melon
- 3 bananes
- 3 kiwis
- 3 tranches d'ananas

- 1 citron
- 50 g de sucre en poudre
- 20 cl d'eau
- 6 feuilles de menthe

Préparation :

– Versez le sucre et l'eau dans une casserole et chauffez. Laissez ensuite le sirop refroidir dans un bol.
– Épluchez et citronnez la banane.
– Lavez, épluchez et dénoyautez les pêches, les abricots et les nectarines.
– Épluchez le melon et les kiwis.
– Détaillez les abricots, les pêches et les nectarines en quartiers.
– Épépinez et détaillez le melon en gros cubes.
– Découpez les bananes et les kiwis en rondelles.
– Découpez les tranches d'ananas en petits morceaux.
– Mettez tous les fruits dans un grand saladier, puis versez le sirop froid dessus.
– Mettez 30 minutes au réfrigérateur.
– Servez la salade de fruits dans des verrines et décorez avec une feuille de menthe.

PROJET

Avec vos camarades, proposez une recette de jus de fruit sur un site ou un blog de cuisine francophone.

Recherchez des sites ou des blogs de cuisine francophones. Observez comment les recettes sont publiées.

Par groupes, imaginez une recette originale de jus de fruits. Donnez la recette de manière détaillée.

Publiez votre recette sur le site ou le blog, si possible avec une photo.

N'oubliez pas de consulter les commentaires et de répondre aux internautes !

1 Cherchez l'intrus.

    a. le raisin – la pomme – la poire – l'ananas

    b. la prune – l'orange – le citron – le pamplemousse

    c. un couteau canneleur – un vide-pomme – un dénoyauteur – un fouet

    d. des fraises – des framboises – des myrtilles – des bananes – des groseilles

    e. la cerise – la pastèque – la nectarine – l'abricot – la pêche

2 Écoutez et associez chaque phrase à un thème.

Les fruits	phrase ...
La tenue profesionnelle	phrase ...
Les parties du corps	phrase ...
Les saisons	phrase ...

3 Conjuguez à l'impératif.

    a. (*Finir*) la salade (vous)

    b. (*Détailler*) les pommes (tu)

    c. (*Mettre*) ce tablier (tu)

    d. (*Faire*) attention aux mains avec le four (vous)

    e. (*Prendre*) les pamplemousses (nous)

    f. (*Ranger*) ce plat sur l'étagère (vous)

4 Écoutez et complétez avec l'adjectif possessif ou démonstratif.

    a. Prends ... veste !

    b. Écoutez ... recette !

    c. Utilise ... torchon !

    d. Prends ... chaussures !

    e. ... n'est pas ... toque !

    f. Ils nettoient ... ustensiles !

5 Complétez les phrases avec les verbes suivants. Conjuguez les verbes au présent.

    • *mettre – faire – finir – sortir – apprendre – venir – partir – choisir*

    a. Nous ... les pêches et les abricots pour le pâtissier.

    b. Ils ... du Japon et ils ... la cuisine française.

    c. Je ... tous les ingrédients sur ce plan de travail.

    d. On ne ... pas de la cuisine avant la fin du service.

    e. Vous ... de nettoyer et vous ... .

    f. Elles ... une salade de fruits.

6 Associez le fruit et la technique.

    le raisin •

    les oranges •

    les fraises •   • Canneler

    les prunes •   • Équeuter

    les citrons •   • Dénoyauter

    les cerises •   • Épépiner

    les pommes •

7 Complétez avec un mot interrogatif.

    a. ... vient avec moi ?

    b. ... ça va ?

    c. ... coûtent ces chaussures ?

    d. ... vous rangez le dénoyauteur ?

    e. ... tu commences à travailler ?

8 Un apprenant est le vendeur et un apprenant est le client. Vous êtes au marché. Jouez la scène à deux.

UNITÉ 4
La main à la pâte

Au menu

❏ Comprendre des normes d'utilisation

❏ Connaître la vaisselle

❏ Utiliser les ingrédients de base

❏ Comprendre, compléter et réaliser un inventaire

❏ Compléter un bon d'économat

Plat du jour

❏ La quiche lorraine

Et pour finir...

❏ Vous préparez des tartes salées et sucrées.

Ces spécialités sont vendues dans les boulangeries-pâtisseries en France. Connaissez-vous leurs noms ?

1. MODE D'EMPLOI

1 Les appareils

1. Associez ces actions à chaque appareil.
• hacher la viande – faire chauffer de l'eau – griller le pain – peser la farine – découper des tranches de jambon – presser un citron – battre les œufs

Un trancheur

Un hachoir

Un presse-agrumes

Un grille-pain

Une balance

Une bouilloire

Un batteur-mélangeur

2. Vous utilisez un coupe-légumes. Conjuguez les verbes au présent.
a. Avant la première utilisation, on (*brancher*) l'appareil.
b. Vous (*vérifier*) les légumes que vous mettez dans l'appareil.
c. Je (*surveiller*) les opérations de découpe des légumes.
d. On (*débrancher*) l'appareil après utilisation.
e. Vous (*contrôler*) l'intérieur de l'appareil : il ne doit pas rester de légumes dedans.

> ### Les mots pour
>
> **Utiliser un appareil**
> • Brancher ≠ Débrancher un appareil
> • Allumer ≠ Éteindre un appareil
> • Surveiller = Faire attention à
> • Vérifier = Contrôler

2 Les chiffres et les nombres jusqu'à 1000

3. Complétez le tableau

30	40	50	60	70	71	72	73
trente	quarante	...	...	soixante-dix	soixante et onze	soixante-douze	...

80	81	90	91	100	101	200	500	900	1000
...	...	...	...	cent	...	...	...	...	mille

4. Lisez à haute voix le nom des modèles.
a. centrifugeuse YLA DUO 354 89
b. coupe-légumes CS 786 2013
c. mixeur IRMOX 1876
d. robot multifonctions X 4675 92

 5. Écoutez et notez les numéros de téléphone.

> ### RECETTE DE GRAMMAIRE
>
> #### L'obligation et l'interdiction
>
> ▪ Défense de / Interdiction de + infinitif
> • *Défense d'entrer ! / Interdiction d'entrer !*
> ▪ On doit / On ne doit pas + infinitif
> • *On doit débrancher l'appareil.*
> ▪ Il faut / Il ne faut pas + infinitif
> • *Il faut nettoyer l'appareil.*
>
> #### *Devoir* au présent de l'indicatif
>
> | je dois | nous devons |
> |---|---|
> | tu dois | vous devez |
> | il/elle/on doit | ils/elles doivent |

1 Imaginez des consignes à partir des mots ci-dessous. Utilisez des formules différentes.

• *les mains – les appareils – trop vite – mode d'emploi – toucher – la tenue professionnelle*

2. LA VAISSELLE

1 Dresser la table

🎧 **1. Écoutez l'enregistrement. Aidez le maître d'hôtel à ranger les pièces du service.**
• la salière – les assiettes creuses – les cuillères à soupe – les verres à pied – les couteaux – les coupelles – les flûtes – les fourchettes – le beurrier – les bols – le sucrier – les tasses

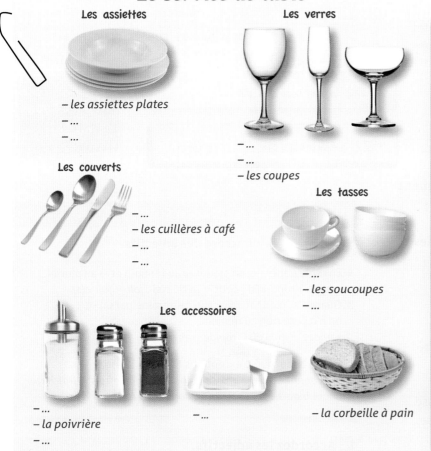

Le service de table

Les assiettes
– les assiettes plates
– ...
– ...

Les verres
– ...
– ...
– les coupes

Les couverts
– ...
– les cuillères à café
– ...
– ...

Les tasses
– ...
– les soucoupes
– ...

Les accessoires
– ...
– la poivrière
– ...

– ...
– la corbeille à pain

> **Secret de cuisine**
> Au restaurant les couverts, c'est aussi le nombre de clients pour le service.

2. De quelles pièces du service avez-vous besoin ?
  a. Pour un petit-déjeuner français.
  b. Pour un déjeuner d'affaires.
  c. Pour un goûter d'enfants.
  d. Pour un dîner à deux.

3. Vous dressez la table. Complétez le texte avec les mots suivants.
• verres – salière – fourchettes – poivrière – couteaux – cuillère à dessert – assiette – cuillère à soupe

On place l'... au milieu. Puis, à gauche, on met les ... . À droite, on met les ... . Il y a de la soupe ? Alors, on ajoute une ... à côté des couteaux. Au dessus de l'assiette, on met les ... : un pour le vin et un pour l'eau. Entre l'assiette et les verres, on met la ... . On n'oublie pas sur la table, la ... et la ... !

RECETTE DE GRAMMAIRE

Le pluriel des noms

▪ En règle générale, on ajoute **-s**.
  • le verre → les verre**s** ; le fruit → les fruit**s** ; un bol → des bol**s**
▪ Quand le nom se termine par **-s** ou **-x**, on n'ajoute rien.
  • le jus → les jus ; le prix → les prix
▪ Quand le nom se termine par **-au, -al** ou **-ail**, il fait son pluriel en **-aux**.
  • le noy**au** → les noy**aux** ; le loc**al** → les loc**aux** ; le trav**ail** → les trav**aux**
▪ Quand le nom se termine par **-eau** ou **-eu**, il fait son pluriel en **-x**.
  • le couteau → les couteau**x** ; le feu → les feu**x**

1 Accordez les noms.

a. J'ai des (*frère*) et des (*sœur*).
b. Les (*apprenti*) commencent les (*travail*) de préparation des (*fruit*).
c. Il faut se protéger les (*œil*) et les (*cheveu*).
d. Où sont les (*jus*) de fruits et les (*gâteau*) ?
e. Les (*chef*) organisent la visite des (*lieu*) et la présentation des (*appareil*).
f. Tu dois acheter des (*poireau*) et des (*radis*).

3. LE SERVICE

1 La brigade de restaurant

 1. a. Écoutez le directeur. Associez chaque fonction à sa définition.

Le commis débarrasseur

Le chef de rang   Le maître d'hôtel

Le barman   Le sommelier

Le commis de rang (ou de salle)

Il dirige le travail de la brigade.

Il organise la mise en place des tables.
Il dirige le service aux tables.

Il conseille les clients pour le vin.

Il fait le service des plats.

Il débarrasse les tables.

Il s'occupe du bar.

b. Écoutez une deuxième fois l'enregistrement et répondez.

- **a.** Qui fait le service aux tables ?
- **b.** Qui accueille et place les clients aux tables ?
- **c.** Qui s'occupe de la cave ?
- **d.** Qui dirige le service ?
- **e.** Qui prépare les boissons pour l'apéritif et les cocktails ?

2 Phonétique

 2. Écoutez. Quel adjectif vous entendez ?

- **a.** grand / grande
- **b.** gros / grosse
- **c.** long / longue
- **d.** épais / épaisse
- **e.** creux / creuse
- **f.** bon / bonne

Les mots pour

Décrire
- Grand(e) ≠ Petit(e)
- Rond(e) ≠ Carré(e)
- Plat(e) ≠ Creux/creuse
- Gros(se) ≠ Mince
- Épais(se) ≠ Fin(e)
- Long(ue) ≠ Court(e)

RECETTE DE GRAMMAIRE

L'accord des adjectifs

▪ En règle générale, on ajoute **-e** au féminin et **-s** au pluriel.
- rond → rond-**e(s)** ; petit → petit-**e(s)** ; joli → joli-**e(s)**

▪ Quand l'adjectif au masculin se termine par un **-e**, on n'ajoute rien au féminin.
- mince → mince**(s)** ; rapide → rapide**(s)**

⚠ Il y a beaucoup d'exceptions !
bon → bon**ne** ; gros → gros**se** ; long → lon**gue** ; frais → frai**che** ;
blanc → blan**che** ; beau → **belle** ; doux → dou**ce**...

1 Accordez les adjectifs.

- **a.** Les serveurs sont (*rapide*).
- **b.** Oh, les (*beau*) mangues (*vert*) !
- **c.** Vous devez porter une toque (*blanc*) et une veste (*noir*).
- **d.** Il faut des pommes de terre (*nouveau*) et des (*petit*) courgettes.
- **e.** Ces crêpes sont (*délicieux*). Elles sont vraiment (*excellent*) !

3 Mettre le couvert

3. Choisissez une des photos. Décrivez le service avec des adjectifs. Les autres apprenants doivent trouver la photo.

1   2   3

Zoom sur... — LA PÂTE

1 Les ingrédients de base

La farine de blé

Les œufs

L'huile de tournesol

Le sucre semoule

Le sel

Le lait

Le beurre

La crème fraîche

🎧 1. Écoutez et complétez la fiche d'inventaire.

Code Article	Dénomination Article	Unité	Quantité en stock	Quantité à Demander
1325	Œuf	pièce	37	13
0371	Farine T45	kg	2	10
...	...	...	...	...

Les unités de mesure

- Kilogramme (kg) / Gramme (g)
- Litre (L) / Décilitre (dl) / Centilitre (cl) / Millilitre (ml)
- Centimètre (cm) / Millimètre (mm)
- 1/4 = un quart ; 3/4 = trois-quarts
- 1/2 = un demi
- 1/3 = un tiers ; 2/3 = deux tiers

Un récipient doseur

2 Les secrets du pâtissier

La pâte feuilletée

Il y a peu d'ingrédients, mais la préparation est assez difficile. Il faut beaucoup de travail pour obtenir une bonne pâte. Il faut mettre assez d'eau, environ 250 cl pour 500 grammes de farine. La pâte est d'abord un peu collante. Elle ne doit pas être trop sèche. Elle ne doit pas non plus être trop élastique, c'est assez difficile à travailler.

La pâte à brioche

Il faut de bons ingrédients : beaucoup de farine (500 g), du beurre (200 g), du sucre, des œufs, un peu de lait et pas trop de sel. Il faut aussi un peu de levure. Voici des conseils assez simples : avec une pâte trop molle, ajoutez un peu de farine ; avec une pâte trop ferme, ajoutez un peu de lait.

2. Lisez les deux textes et classez les informations suivantes dans deux colonnes : « pâte feuilletée » et « pâte à brioche ».

– Il faut peu de travail.
– Les ingrédients sont assez simples.
– Il faut un peu de sel.
– La pâte ne doit pas être trop molle.
– Il faut beaucoup d'eau.
– La pâte est peu élastique.

RECETTE DE GRAMMAIRE

Les adverbes de quantité

▓ Ils servent à désigner une quantité indéterminée : *peu, un peu, assez, beaucoup, trop...*
  • Il faut **un peu** de beurre. / Il n'y a pas **assez** de sel.

1 Complétez avec *un peu, peu, assez, beaucoup, trop*.

a. Ce n'est pas bon, il y a ... de sel.

b. Il faut très ... de sucre dans cette recette.

c. Je n'ai pas ... d'œufs pour faire cette pâte.

d. Avec ... de crème c'est meilleur.

e. Il faut mettre ... de farine, au moins 1 kilo.

En cuisine

1 Les différents types de pâtes

1. Indiquez les ingrédients nécessaires pour réaliser chacune des pâtes.

2. Pour chacune des pâtes, donnez un nom de recette.

La pâte brisée

La pâte sablée

La pâte feuilletée

La pâte à brioche

La pâte à chou

Une génoise

2 Pâte à choux et pâte brisée

3. Complétez le bon d'économat de la pâte à choux avec les ingrédients suivants.
• *eau – farine – beurre – œufs – sucre – sel*

Pâte à choux (30 petits choux)				
Denrées	**Unités**	**Quantité**	**Coût unitaire (€)**	**Montant unitaire (€)**
...	L	0,250	–	–
...	kg	0,125	0,90	0,11
...	kg	0,080	5,20	0,75
...	kg	0,015	1	0,15
...	Pièce	4	0,10	0,40
...	QS*	–	–	–
			TOTAL	**1,41**

QS : quantité suffisante

 4. Écoutez les 6 conseils du pâtissier pour réaliser une bonne pâte à choux et complétez.

1. ...
2. Il faut découper le beurre en morceaux.
3. ...
4. ...
5. Il faut laisser la pâte sécher.
6. ...

5. Lisez la recette de la pâte brisée. Associez les photos aux étapes de préparation de la pâte brisée.

Pâte brisée

- Placez le beurre en morceaux sur la farine.
- Ajoutez le sel.
- Écrasez les morceaux de beurre et mélangez-les avec la farine.
- Ajoutez un peu d'eau.
- Fraisez la pâte.
- Formez une boule.
- Abaissez la pâte.
- Foncez le moule.
- Pincez les bords
- Piquez le fond.

Un rouleau à pâtisserie

Fiche cuisine

La quiche lorraine

C'est une délicieuse tarte salée à base de crème fraîche et de lardons !

Temps de préparation : 1 heure

Ustensiles : un moule, un rouleau à pâtisserie, une calotte, une poêle.

Ingrédients (pour 6 à 8 personnes)
Pour la pâte brisée
- 250 g de farine
- 150 g de beurre
- Un peu d'eau
- Sel

Pour l'appareil à crème prise salée
- 4 œufs entiers
- 300 ml de crème liquide
- 250 ml de lait

Pour la garniture
- 250 g de lardons

Préparation
1. Réalisez une pâte brisée.
2. Réalisez un appareil à crème prise salée :
– Mettez dans une calotte les œufs, la crème et le lait.
– Mélangez avec un fouet.
3. Réalisez la quiche :
– Faites sauter les lardons dans une poêle.
– Abaissez la pâte.
– Foncez le moule.
– Pincez les bords et piquez le fond de pâte.
– Posez les lardons sur le fond.
– Versez l'appareil à crème prise.
– Faites cuire 35 minutes, four à 180° C.

PROJET

À l'occasion d'un événement à l'école, vous allez préparer des tartes salées et des tartes aux fruits.

◆ Informez-vous sur les légumes et les fruits de saison.

◆ Choisissez des tartes à réaliser.

◆ Renseignez-vous auprès de vos enseignants sur les techniques de réalisation pour chaque tarte.

◆ Réalisez les tartes. Faites déguster les tartes aux participants.

Les Français et le pain

Pour les Français, le pain est un aliment incontournable. Les Français consomment en moyenne 130 grammes de pain par jour.

Pour 8 Français sur 10, le pain est un produit gastronomique. C'est un symbole de la gastronomie française. Il fait partie du patrimoine français, comme le fromage et le vin.

Les Français mangent du pain à tous les repas. Ils mangent des tartines au petit-déjeuner, ils prennent du pain avec du fromage en dehors des repas ou pendant les repas, au déjeuner et au dîner. Au goûter, les enfants mangent souvent du pain.

8 Français sur 10 achètent du pain frais tous les jours. Les Français choisissent leur boulangerie selon deux critères : la qualité du pain (66 %) et la proximité (37 %).

Le pain traditionnel est la baguette. On vend, en France, 10 milliards de baguette chaque année.

D'après « Les Français et le pain », Sondage IFOP, avril 2013 et « Le pain superstar » dans *Le Monde*, 26 octobre 2013.

1. Selon vous, est-ce que les Français mangent beaucoup de pain ?
2. Dans votre pays, est-ce qu'on mange beaucoup de pain ? Quand ?
3. Selon vous, le pain est-il indispensable à l'alimentation ?

Au bon pain

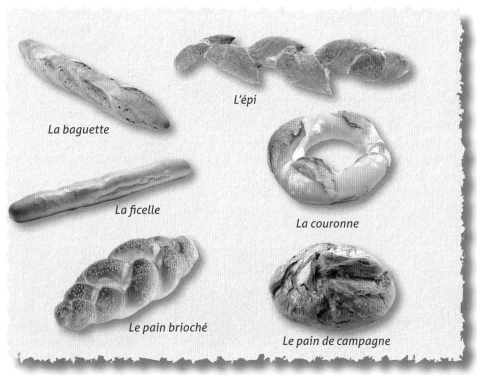

L'épi

La baguette

La ficelle

La couronne

Le pain brioché

Le pain de campagne

1. Est-ce que vous connaissez d'autres types de pain ?

Les bienfaits du pain

Le pain tient une place importante dans les repas des Français. Mais quelle quantité consommer pour une alimentation équilibrée ? Hélène Pouvaux, diététicienne, répond.

Le poids d'une baguette traditionnelle est d'environ de 250 g. Un homme peut manger trois quart de baguette par jour sans problème. Une femme peut manger une demi baguette par jour.

Quels sont les bienfaits du pain ?

Le pain est un aliment énergétique, il comporte beaucoup de glucides. Tous les types de pains ont aussi des vitamines importantes pour le bon fonctionnement de l'organisme.

« Le pain fait grossir. » : est-ce que c'est vrai ?

Beaucoup de personnes pensent ça ! Mais, c'est faux. Non, le pain ne fait pas grossir.

Est-ce que le pain est trop salé ?

Aujourd'hui, on ne fabrique plus le pain comme avant. On a le droit de mettre seulement 20 grammes de sel pour un kilo de farine. Il existe aussi du pain sans sel, c'est moins bon !

D'après *Manger sain*, n° 10, octobre 2013.

1. Est-ce que le pain est bon pour la santé
2. Est-il dangereux de manger trop de pain ?

Le pain

Voici la recette de base du pain.
Temps de préparation : 5 heures
Cuisson : 1 heure
Ingrédients :
• 1 kilo de farine
• 40 grammes de levure de boulanger
• 1 cuillère à café de sel
• 75 cl d'eau tiède
Ustensiles :
• Une jatte
• Un bol
• Un torchon
• Une corbeille
• Un couteau

Préparation
– Dans une grande jatte, mélangez le sel avec la farine.
– Versez l'eau sur la farine et pétrissez.
– Mettez un peu d'eau dans un bol et délayez la levure.
– Ajoutez la levure et continuez à pétrir pour obtenir une pâte souple.
– Placez un torchon humide sur la jatte et laisser lever la pâte 3 à 4 heures.
– Disposez la pâte sur le plan de travail fariné. Pétrissez à nouveau et formez une boule.
– Placez la boule de pâte dans une corbeille et laissez lever environ 2 heures.
– Préchauffez le four à thermostat 6 (180° C).
– Renversez la boule de pâte sur une table, donnez la forme du pain.
– Faites des incisions avec un couteau sur le dessus.
– Enfournez et laissez cuire 1 heure.

Bilan

1 Écrivez les noms des appareils.

....

....

2 Écoutez les phrases et notez les pièces du service demandées.

	a.	b.	c.	d.
Couverts demandés	...	...	...	...

3 Retrouvez la fonction de chacun dans la brigade de restaurant.

a. Il prépare les cocktails.
b. Il dirige la brigade de restaurant.
c. Il fait le service des plats.
d. Il est responsable des vins.
e. Il dirige le service aux tables.
f. Il débarrasse les tables.

1. Le maître d'hôtel
2. Le commis débarrasseur
3. Le barman
4. Le chef de rang
5. Le sommelier
6. Le commis de salle

4 Faites les accords nécessaires.

a. Interdiction de toucher les (*appareil*).
b. Il faut ranger les (*verre*) et les (*couteau*).
c. Les (*commis*) finissent les (*travail*) de nettoyage.
d. Les (*client*) peuvent entrer dans les (*local*) ?
e. Éliminez les (*noyau*) des (*prune*).

5 Choisissez la bonne réponse.

a. Il aime les fruits *rouges/rouge* et la salade *vert/verte*.
b. Où sont les *petites/petits* soucoupes *rondes/ronde*.
c. Les *bon/bons* restaurants proposent toujours des plats *nouveaux/nouvelle*.
d. Les *longs/longues* recettes sont faciles à réaliser pour les *grandes/grands* chefs.
e. Lavez les couverts *sale/sales* !
f. Il faut beaucoup de farine *blanc/blanche* pour réaliser cette *vieille/vieux* recette.

6 Accordez les adjectifs.

La *Gourmande* est une (petit) cafétéria. Elle est (parfait) pour le déjeuner. Il y a des entrées (froid) et des plats (chaud). On trouve aussi des spécialités (italien).
Au dessert, prenez la (délicieux) tarte aux pommes avec de la crème (frais) ! La salle est (grand) mais les serveurs sont (rapide). La qualité est (bon).
La présentation est (joli). C'est une (excellent) adresse !

7 Écoutez et notez ces quantités.

8 Retrouvez les ingrédients. Puis mettez la recette dans l'ordre.

Ingrédients : *eau – beurre – farine – sel*
250 g de ....
125 g de ....
5 cl d'.................
.... (QS)

a. Écrasez le beurre mou et la farine.
b. Formez une boule avec la pâte.
c. Placez le beurre en morceaux sur la farine.
d. Ajoutez le sel.
e. Fraisez et pétrissez pour obtenir une pâte homogène.

1	2	3	4	5
phrase ...	*phrase ...*	*phrase ...*	*phrase ...*	*phrase ...*

9 Vous présentez les appareils de la cuisine au nouveau commis. Il pose des questions. Utilisez les verbes suivants : *débrancher, vérifier, contrôler, brancher, surveiller.*

UNITÉ 5
La mise en place

Au menu

❏ Maîtriser la préparation des légumes

❏ Exprimer ses préférences

❏ Indiquer la succession des actions dans le temps

❏ Identifier le matériel

❏ Rédiger un bon d'économat

Plat du jour

❏ La ratatouille

Et pour finir...

❏ Vous préparez des hors-d'œuvre français.

Observez ces cuisiniers au travail. Que font-ils ?

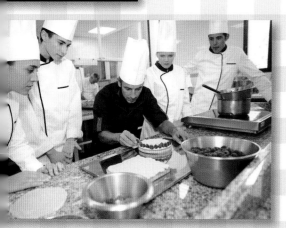

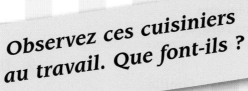

1. LES PREMIERS TRAVAUX

1 Les légumes de saison

	Hiver			Printemps			Été			Automne		
	déc.	janv.	fév.	mars	avril	mai	juin	juil.	août	sept.	oct.	nov.
Artichauts									🌱	🌱	🌱	
Asperges					🌱	🌱	🌱					
Courgettes							🌱	🌱	🌱	🌱	🌱	
Endives	🌱	🌱	🌱									
Haricots verts							🌱	🌱	🌱	🌱		
Petits pois						🌱						
Poireaux	🌱	🌱	🌱	🌱			🌱	🌱	🌱	🌱	🌱	🌱
Poivrons							🌱	🌱	🌱	🌱		
Potirons										🌱	🌱	🌱
Tomates							🌱	🌱	🌱	🌱	🌱	

1. Observez le tableau et répondez.

a. Ils sont jaunes, rouges ou verts. Ils sont excellents en été.

b. Ils sont verts et très petits. Ils sont délicieux en mai et en juin.

c. Les petits sont violets et les gros sont verts. Ils sont délicieux en août, en septembre et en octobre.

d. Ils sont orange, gros et ronds. C'est un régal en automne.

e. Ils sont verts, fins et longs. Ils sont très bons de juin à septembre.

f. Elles sont rondes et rouges. Elles sont délicieuses en été.

2. Dans quel ordre on prépare les légumes ? Écoutez et mettez les verbes dans l'ordre.

• égoutter – cuire – éplucher – rincer – dresser – laver – tailler

3. Rangez les légumes suivants selon leur famille.

• les petits pois – les aubergines – la laitue – les asperges – le chou-fleur – les carottes – les tomates – les radis

Légumes-fleurs	Légumes-tubercules	Légumes-feuilles	Légumes-graines
Les brocolis ….	Les pommes de terre ….	Les endives ….	Les fèves ….
Légumes-racines	**Légumes-fruits**	**Légumes-tiges**	**Légume à bulbes**
Le fenouil ….	Les melons ….	Le céleri ….	Les oignons ….

RECETTE DE GRAMMAIRE

■ **Les articulateurs chronologiques**

Pour commencer	Pour continuer	Pour terminer
d'abord, tout d'abord	après, ensuite, puis	enfin, finalement

1 Dans quel ordre vous préparez les carottes, les pommes de terre… ? Expliquez.

2 Décrire une plante

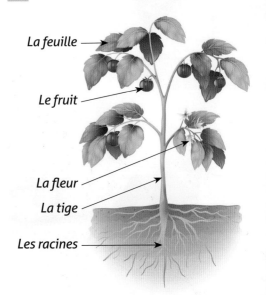

La feuille

Le fruit

La fleur

La tige

Les racines

2. LES FRUITS ET LES LÉGUMES SECS

1 Découvrir les fruits et les légumes secs

Les amandes
Les pois chiche
Les noix
Les pistaches
Les pruneaux
Les lentilles
Les noisettes
Les châtaignes
Les haricots secs
Les pignons de pin

1. Citez des plats avec des fruits ou des légumes secs.

2. Quels fruits ou légumes secs vous préférez ?

3. Écoutez le chef et complétez le tableau.

	Légume ou fruit sec	Satisfait ☺	Mécontent ☹
a.	lentilles	X	
b.	…	…	…

2 Les consignes du chef

Demain matin, je serai absent. Voilà comment vous organiserez le travail.
> Vous commencerez le travail à 9 heures.
> Le second dirigera la brigade.
> Les apprentis prépareront les légumes.
> Marie et Cynthia auront la responsabilité des cuissons.
> Paul s'occupera de contrôler les livraisons.
Je reviendrai à 11 heures. Les plats seront prêts.

4. Lisez le texte et répondez.

   a. Pourquoi le chef laisse des consignes ?

   b. En l'absence du chef qui fait quoi ?

   c. Repérez les verbes conjugués.

RECETTE DE GRAMMAIRE

■ Le pronom personnel tonique

Moi, j'aime   **Nous**, nous aimons
Toi, tu aimes   **Vous**, vous aimez
Lui, il aime / **Elle**, elle aime   **Eux**, ils aiment / **Elles**, elles aiment

• J'aime les lentilles. → **Moi aussi / Pas moi**
• Elle n'aime pas les raisins secs. → **Lui si / Elle non plus**

---

1 Complétez avec un pronom personnel tonique.

a. …, ils aiment les pistaches !
b. …, elle n'aime pas les lentilles !
c. …, j'adore les noix !
d. …, tu détestes les pruneaux !
e. …, vous aimez les pois chiche ?

Les mots pour

• J'aime beaucoup ☺ ☺
• J'aime bien ☺ ≠ Je n'aime pas trop ☹
• Je n'aime pas du tout ☹ ☹

RECETTE DE GRAMMAIRE

Le futur simple

■ **Couper**
je couper**ai**
tu couper**as**
il/elle/on couper**a**
nous couper**ons**
vous couper**ez**
ils/elles couper**ont**

⚠ Beaucoup de verbes sont irréguliers au futur.
avoir → j'aurai ; être → je serai ;
faire → je ferai ; falloir → il faudra

➡ **tableaux de conjugaison p. 98**

1 Mettez les verbes au futur.

a. Toi, tu (*laver*) les fruits. Moi, je (*rincer*) les légumes.
b. Nous (*éplucher*) les aubergines. Il (*falloir*) un couteau.
c. Vous (*dénoyauter*) les pruneaux et elles (*casser*) les noix.

3. TAILLER LES LÉGUMES

1 Découvrir les outils pour tailler

La mandoline 6 lames

Cette mandoline est très pratique avec ses 6 lames différentes. Elle permet d'émincer des oignons en lamelles, de tailler des bâtonnets de carotte ou de poivron, de couper de fines tranches de pomme de terre, de détailler des rondelles de concombre, de râper du fromage... Vous coupez, détaillez, émincez en un clin d'œil !

Et pour l'achat de 2 mandolines...

Un set avec une planche à découper en bois, un couteau d'office pour détailler en dés les courgettes, et un hachoir berceuse (2 manches) pour hacher finement le persil ou concasser grossièrement les tomates.

Les mots pour

Préciser l'action
- Lentement
- Rapidement
- Soigneusement
- Grossièrement
- Finement

1. Lisez le texte. Pour chaque image, donnez le nom de la taille des légumes.

La garniture aromatique

Pour assaisoner de nombreuses préparations on ajoute une garniture aromatique à base de légumes pendant la cuisson.

2 Les différentes tailles

 2. Écoutez l'enregistrement et répondez
- **a.** Quels légumes composent la mirepoix ?
- **b.** Quelle est la dimension des légumes pour la macédoine ?
- **c.** Quelle forme ont les légumes taillés en brunoise ?
- **d.** Comment on taille les légumes pour une julienne ?

3. Comment détailler les légumes ou les fruits pour les préparations suivantes ?
- *potage – sauce – garniture – salade de fruits*

La mirepoix

La macédoine

La brunoise

La julienne

1 Découvrir le matériel de préparation

1. Quel type de matériel utilisez-vous pour ces actions ?

• cuire – réserver – détailler – transporter – éplucher – mélanger – rôtir – abaisser une pâte

La plaque à débarrasser

Le bahut

Le bain-marie

La calotte

La bassine

Le bac

2. Écoutez l'enregistrement et associez.

La plaque à débarrasser •   • faire des préparations à base d'œufs
Le bahut •   • réchauffer un potage
La calotte •   • laver les légumes
La bassine •   • éplucher et transporter les aliments
Le bain-marie •   • réserver ou débarrasser des aliments
Le bac •   • refroidir ou réchauffer les aliments

3. Associez l'image et le matériel nécessaire pour réaliser la recette.

Matériel de préparation
• 2 plaques à débarrasser
• 2 petites calottes
• 1 bahut
• 1 planche à découper
• 1 passoire
Pour dresser la préparation :
un plat rond et creux

Matériel de préparation :
• 2 plaques à débarrasser
• 1 grande calotte
• 1 petite calotte
• 1 planche à découper
• 1 passoire
• 1 fouet à sauce
Pour dresser la préparation :
un plat à légumes

Matériel de préparation :
• 2 plaques à débarrasser
• 1 calotte
• 1 bahut
• 1 planche à découper
• 1 mandoline
• 1 bain-marie
• 1 fouet
• des ciseaux à poisson
Pour dresser la préparation :
des assiettes à poisson et une saucière

La macédoine de légumes

Le pot-au-feu

La truite au court-bouillon

RECETTE DE GRAMMAIRE

Le futur proche

▪ *Aller* + verbe à l'infinitif
• *je vais commencer ; nous allons laver ; ils vont faire...*

2 Phonétique

4. Est-ce que vous entendez le son [p] ou le son [b] ?

1 Conjuguez au futur proche

a. Je (*émincer*) les carottes.
b. Tu (*utiliser*) la bassine ?
c. Nous (*ranger*) les bacs.

En cuisine

1 Bien commencer le repas

En France, le hors-d'œuvre est le premier plat. C'est un plat léger. Il est servi au début du repas, en entrée. On appelle aussi les hors-d'œuvre « entrées ». Sur les cartes des restaurants les hors-d'œuvre sont dans la rubrique « Entrées ». Le hors-d'œuvre met en appétit avant le plat principal.

Une terrine de poisson

Une assiette de charcuterie

Une bouchée à la reine

Une salade landaise

Un tartare de saumon

Un soufflé au fromage

Des noix de Saint-Jacques

Un gratin de légumes

1. Voici des exemples de hors-d'œuvre. Á vous de les classer en hors-d'œuvre chauds et hors-d'œuvre froids.

2. Quels autres hors-d'œuvre français connaissez-vous ? Faites des recherches et présentez les plats à vos camarades.

3. Dans votre pays, quels sont les hors-d'œuvre ?

> L'entremétier prépare les hors-d'œuvre chauds et le garde-manger les hors-d'œuvre froids.

4. Choisissez un hors-d'œuvre et remplissez le bon d'économat.

....				
Denrées	**Unités**	**Quantité**	**Coût unitaire**	**Montant unitaire**
				TOTAL

... LES HORS-D'ŒUVRE

2 Le taboulé

Le taboulé est une spécialité du Moyen-Orient (Syrie, Liban) à base de persil et de boulgour. C'est un plat frais, très agréable en été.

 5. Écoutez l'enregistrement et répondez.
- **a.** Quelle est la couleur dominante du plat ?
- **b.** Quelle est la première phase de la recette ?
- **c.** Comment faut-il tailler le persil ? Et les tomates ?

6. Associez la technique aux fruits ou légumes.

Effiler : éliminer les fils

Écosser : enlever la coque ou l'enveloppe d'un fruit ou d'un légume.

Monder : mettre un fruit ou un légume d'abord dans l'eau bouillante, puis sous l'eau froide pour éliminer la peau.

Équeuter : enlever la queue.

Canneler : faire des rainures sur un fruit ou un légume.

Le céleri — Les fèves — Les oranges — Les courgettes — Les tomates — Les fraises — Les haricots — Les petits pois — Les poivrons

Fiche cuisine

La ratatouille

La ratatouille est une spécialité provençale. On mange la ratatouille chaude avec une viande ou froide en entrée.

Temps de préparation : 1 heure
Ustensiles spécifiques : une poêle ou une sauteuse
Ingrédients (pour 6 personnes) :
- 800 g de courgettes bien fermes
- 600 g d'aubergines pas trop grosses
- 600 g de tomates
- 300 g de poivrons rouges et verts
- 200 g d'oignons
- 6 gousses d'ail
- 1 bouquet de thym, 1 branche de céleri, 1 branche de fenouil
- Huile d'olive
- Sel et poivre

Préparation
– Lavez et cannelez les courgettes et les aubergines.
– Taillez les courgettes, les aubergines et les tomates en gros dés.
– Mondez, épépinez et détaillez les poivrons en petits dés.
– Épluchez et émincez les oignons.
– Épluchez et hachez l'ail.
– Faites revenir les oignons avec un peu d'huile d'olive. Ajoutez les tomates, l'ail et le bouquet de thym, le céleri et le fenouil. Assaisonnez et laissez cuire.
– Faites sauter les aubergines. Conservez les dés bien fermes.
– Faites sauter séparément les courgettes et les poivrons. Réservez.
– Ajoutez tous les légumes aux tomates. Laissez cuire 15 minutes.
– Laissez refroidir et dressez dans un plat creux.
On peut ajouter des olives dans la ratatouille froide.

7. Quels appareils et ustensiles utilisez-vous pour la réalisation de la ratatouille froide ?
- *une louche – un rouleau à pâtisserie – un torchon – un couteau canneleur – une bassine – un fouet – une planche à découper – une friteuse – une flûte – une plaque à débarrasser – un moule – un four – une calotte – une sauteuse – un réfrigérateur – une salamandre – une passoire – une balance – un fourneau*

PROJET

Vous préparez une dégustation de hors-d'œuvre français pour vos professeurs.

◆ Faites des recherches sur les hors-d'œuvre. Choisissez ensemble des hors-d'œuvre français.

◆ Chaque groupe choisit un hors-d'œuvre et réalise le bon d'économat.

◆ Préparez les hors-d'œuvre au laboratoire de cuisine ou à la maison.

◆ Organisez la dégustation. Présentez à vos professeurs les ingrédients. Commentez la réalisation de chaque hors-d'œuvre.

1 Qui parle ? Écoutez et associez.

la cliente	*phrase ...*
l'entremétier	...
le garde-manger	...
le chef	...
le saucier	...
l'apprenti	...

2 Conjuguez les verbes au futur.

Tout d'abord, vous (*faire*) attention à choisir de beaux légumes. Ensuite tu (*laver*) et tu (*égoutter*) les légumes. Après nous (*détailler*) les légumes en morceaux. Nous (*mettre*) les légumes dans un grand plat creux. Il (*falloir*) mélanger délicatement. Enfin je (*réserver*) la préparation au réfrigérateur et je (*nettoyer*) tous les ustensiles. Ce (*être*) un plat parfait ! Les clients (*commander*) ce plat !

3 Associez le type de taille et le légume.

Une branche • • de carotte
Des dés • • de céleri
Un concassé • • de concombre
Des bâtonnets • • de tomates
Une rondelle • • de courgettes

4 Complétez les phrases avec les mots suivants.

• réserve – calotte – dressez – bassine – égoutter
a. Je prépare l'appareil à prise salée dans une ... .
b. Je prépare les légumes, puis je ... les légumes.
c. Je cherche la passoire pour ... les courgettes.
d. Lavez les légumes dans la grande ... .
e. Maintenant, vous ... les assiettes pour les clients.

5 Écoutez et complétez le tableau. Le conseil porte sur la préparation du légume ou sur la coupe du légume ?

Préparation du légume	Coupe du légume
Phrase ...	*Phrase ...*

6 Mettez la recette de la salade niçoise dans l'ordre.

a. Enfin éplucher l'ail et les oignons et émincer les oignons en fines rondelles.
b. À la fin préparer les artichauts et laver les artichauts avec de l'eau citronnée.
c. Ensuite éplucher le concombre et le poivron vert et tailler le concombre en rondelles assez fines.
d. Tout d'abord, laver les tomates, couper les tomates en quatre.
e. Couper les artichauts en fines tranches, ciselez les feuilles de basilic et mélanger tous les légumes.
f. Assaisonner.

7 Que devra faire le second la semaine prochaine ? Vous expliquez son planning au second.

Semaine du 15 mars au 21 mars					
Lundi	**Mardi**	**Mercredi**	**Jeudi**	**Vendredi**	**Samedi Dimanche**
• Vérifier la carte du restaurant. • Présenter les locaux aux nouveaux apprentis.	• Organiser un repas pour 50 personnes.	• Être à 8 h au restaurant. • Compléter la feuille de marché.	• Surveiller le nettoyage de la chambre froide.	• Faire l'inventaire des ustensiles. • Préparer les commandes.	• Finir la nouvelle carte. • Contrôler la réserve avec le garde-manger.

UNITÉ 6
Aux fourneaux !

Au menu

- ❏ Identifier le matériel de cuisson
- ❏ Comprendre les caractéristiques techniques d'un appareil
- ❏ Comprendre une fiche technique de fabrication
- ❏ Découvrir la préparation des potages

Plat du jour

- ❏ La soupe au pistou

Et pour finir...

- ❏ Vous réalisez un inventaire des ustensiles de cuisine.

Quels équipements et quels ustensiles utilisez-vous pour cuire ces préparations ?

1 Découvrir le matériel de cuisson

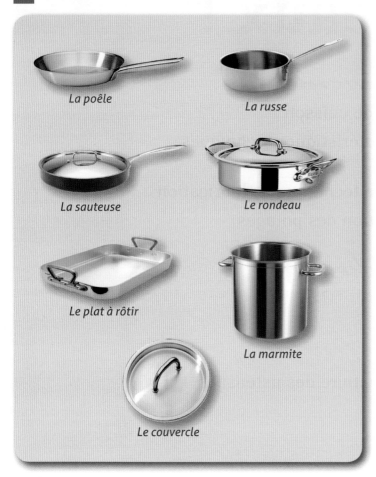

La poêle

La russe

La sauteuse

Le rondeau

Le plat à rôtir

La marmite

Le couvercle

1. Connaissez-vous d'autres ustensiles de cuisson.

2. Retrouvez les ustensiles nécessaires pour chaque cuisson.
   a. Frire les œufs.
   b. Cuire le riz et les pâtes.
   c. Rôtir les viandes et les poissons.
   d. Préparer les veloutés et les sauces.
   e. Cuire les aliments.
   f. Préparer les viandes et les légumes sautés.
   g. Faire cuire à couvert.

3. Chassez l'intrus.
   a. la sauteuse – la tasse – la casserole – la marmite
   b. réchauffer – refroidir – cuire – essuyer
   c. la poêle – l'assiette – la cuillère – le couteau
   d. la calotte – le bahut – la casserole – la plaque à débarrasser
   e. la rôtissoire – le rondeau – le gril – le fourneau

RECETTE DE GRAMMAIRE

■ *Cuire* au présent de l'indicatif

je cuis
tu cuis
il/elle/on cuit
nous cuisons
vous cuisez
ils/elles cuisent

⚠ Ne pas confondre *cuire* et *cuisiner*.
• *La viande **cuit** dans le four.*
• *Nous ne **cuisinons** pas le dimanche.*

🎧 4. Associez chaque phrase à son but.
   a. Vite, deux petites casseroles et la plaque à débarrasser !
   b. Rangez la sauteuse et les couvercles, s'il vous plaît.
   c. Utilise la marmite ! C'est simple.
   d. Éteignez la hotte et lavez ces poêles.
   e. Qui a le rondeau ?
   f. Ajoutez un peu d'eau dans la plaque à rôtir. C'est important pour une bonne cuisson.

Demander des ustensiles

Donner un conseil

Donner des instructions

1 Complétez avec *cuire* ou *cuisiner*.

   a. Les œufs ... dans la poêle.
   b. Elle ... des légumes pour les hors-d'œuvre.
   c. La sauce ... sur le fourneau.
   d. Vous ... sans sel ?
   e. Le lundi, le chef ... pour toute l'équipe !
   f. Le riz ... pendant dix minutes, puis on l'égoutte.

2. LES CUISSONS

1 Quelle cuisson choisir ?

 1. Écoutez l'enregistrement et répondez.

    a. Qui répond aux questions de l'apprenti ?
    b. Que veut savoir l'apprenti ?
    c. Qu'est-ce qu'il ne faut pas utiliser pour griller les légumes ?
    d. Que signifie « pocher » ?

Interroger et répondre

▪ Qu'est-ce que c'est ? → *C'est une spécialité espagnole.*
▪ Pourquoi ? → *Parce que / car c'est bon.*

❯ *Au four*
- Presque tous les légumes.
- Couper les légumes en gros morceaux.

❯ *Sautés*
- Pommes de terre, haricots verts, carottes.
- Cuisson rapide.

❯ *Pochés*
- Tous les légumes.
- Ne pas pocher les légumes fruits.

❯ *À l'étuvée*
- Tomates et courgettes.
- Ne pas ajouter d'eau.

❯ *Frits*
- Aubergines, pommes de terre, oignons.
- Ne pas trop chauffer l'huile.

❯ *Grillés*
- Poivrons, courgettes, aubergines.
- Couper les légumes en fines tranches.

2. Lisez le document et répondez.
    a. Quels légumes peut-on faire cuire au four ?
    b. Pour quelle cuisson faut-il beaucoup d'eau ?
    c. Comment peut-on faire cuire les aubergines ?

3. Complétez le tableau avec les verbes suivants.
    • *griller – frire – rôtir – pocher – cuire à l'étuvée – sauter*

	Sauteuse	Poêle	Plat à rôtir	Russe	Gril	À couvert
Eau	...	...	...	...	...	...
Matière grasse (beurre ou huile)	...	...	...	...	...	...
Ø	...	...	...	...	griller	...

4. Comment vous cuisinez la viande ou le poisson ?

L'infinitif

▪ Forme affirmative (= oui)
  • *Cuire* à couvert.
  • *Tailler* les légumes en dés.
▪ Forme négative (= non) : *ne pas* + infinitif
  • *Ne pas cuire* à couvert.
  • *Ne pas tailler* les légumes en dés.

L'impératif négatif

ne + verbe à l'impératif + *pas*
  • *N'ajoutez pas* de beurre.
  • *Ne préchauffez pas* le four.

2 Phonétique

 5. Écoutez. Est-ce que vous entendez le verbe *vouloir* ou le verbe *pouvoir* ?

1 Écrivez des phrases comme dans l'exemple.

- -

• *les artichauts / cuire à l'étuvée → Ne pas cuire les artichauts à l'étuvée / Ne cuisez pas les artichauts à l'étuvée.*

    a. les petits pois / cuire sur le gril
    b. les haricots verts / frire dans la poêle
    c. les légumes / tailler

1 Choisir un fourneau

Sur un fourneau, les feux sont aussi importants que le four. Les grilles en fonte sont meilleures que les grilles en acier. Le tiroir est pratique : il sert à ranger les ustensiles de cuisson. Il y a des fourneaux 4 feux et des fourneaux 6 feux.

Le fourneau

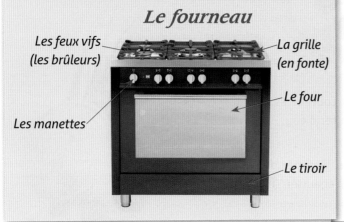

Les feux vifs (les brûleurs)

Les manettes

La grille (en fonte)

Le four

Le tiroir

1. Lisez le document et répondez.

a. Quels sont les principaux éléments d'un fourneau ?

b. À quoi sert le tiroir ?

c. Combien y a-t-il de feux sur un fourneau ?

2 Choisir une cuisson

🎧 **2. Écoutez l'enregistrement et répondez.**

a. Pourquoi le rôtisseur préfère utiliser la rôtissoire ?

b. Quelle cuisson préfère le poissonnier ?

c. Pour quels aliments la cuisson à l'étuvée est-elle parfaite ?

d. Qu'est-ce qui est le plus important pour le pâtissier ?

e. Qu'est-ce que le chef préfère ?

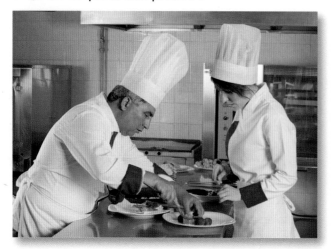

RECETTE DE GRAMMAIRE

Le comparatif

■ La supériorité : *plus* + adjectif + *que*

plus de + nom + *que de*

• *La cuisson à l'étuvée est **plus** difficile **que** la cuisson à la vapeur.*

• *Il y **plus de** tomates **que de** salade.*

■ L'égalité : *aussi* + adjectif + *que...*

autant de + nom + *que de*

• *La cuisson à l'étuvée est **aussi** bonne **que** la cuisson à la vapeur.*

• *J'ai **autant de** casseroles **que de** poêles.*

■ L'infériorité *moins* + adjectif + *que...*

moins de + nom + *que de*

• *La cuisson à l'étuvée est **moins** longue **que** la cuisson à la vapeur.*

• *Il prépare **moins de** carottes **que de** navets.*

⚠ Certains comparatifs sont irréguliers.

bon → meilleur(e) ; mauvais → pire ; bien → mieux.

1 **Comparez les deux fourneaux.**

Fourneau Forez FG45
FOURNEAU 6 FEUX VIFS SUR FOUR GAZ

– 6 feux vifs (puissance 3x3Kw + 3x4Kw)

– Manettes en acier

– Four gaz multifonctions

– Grille en fonte

– Tiroir inférieur

– Hotte professionnelle

– Prix : 2 945 €

Fourneau Berriche SGV56
FOURNEAU 4 FEUX VIFS SUR FOUR ÉLECTRIQUE

– 4 feux vifs (puissance 4x4,5Kw)

– 2 Placards

– Porte du four avec poignée en inox

– Plaque à mijoter

– Four électrique à convection

– Gril avec fonction salamandre

– Prix : 2 276 €

Attention !
Ne pas confondre « un gril » et « une grille ».

1 La fiche de fabrication

Omelette aux champignons (8 couverts)			
Denrées	**Unité**	**Quantité**	**Techniques de réalisation**
Éléments de base			**Mettre en place le poste de travail**
Œufs	Pièce	16	– Préparation des denrées, du matériel de préparation,
Beurre	kg	0,100	de cuisson et de dressage.
			Préparer les champignons
Garniture			– Éplucher, laver et émincer les champignons.
Champignons de Paris	kg	0,400	– Faire sauter les champignons au beurre.
Beurre	kg	0,050	– Égoutter puis réserver.
			Réaliser l'omelette
Assaisonnement			– Casser les œufs dans une calotte (2 œufs/personne).
Sel	QS		– Assaisonner avec le sel et le poivre.
Poivre	QS		– Battre les œufs avec une fourchette.
			– Ajouter les champignons.
			– Faire fondre du beurre dans une poêle.
			– Verser les œufs et les champignons.
			– Faire cuire l'omelette d'un côté puis plier l'omelette en deux.
			– Dresser sur un plat.
Matériel de préparation et de cuisson			**Matériel de dressage**
• 1 plaque à débarrasser • 1 calotte			• 1 plat long
• 1 planche à découper • 1 poêle			

1. Lisez la fiche de fabrication et répondez.
    a. Qu'est-ce que la mise en place du poste de travail ?
    b. Nommez les grandes rubriques de la fiche de fabrication.

2 Les différentes cuissons

2. Écoutez l'enregistrement et associez les noms des préparations à la photo.
   • *les œufs durs – les œufs brouillés – les œufs à la coque – les œufs au plat – les œufs pochés*

3. Écoutez à nouveau l'enregistrement et répondez.
    a. Combien de temps fait-on cuire un œuf dur ?
    b. Et un œuf à la coque ?
    c. Comment fait-on les œufs brouillés ?

1 Les bars à soupe

Les potages sont à la base de l'alimentation. Aujourd'hui, ils sont très à la mode. Ils sont souvent sur la carte des restaurants. Un nouveau concept de restauration rapide est né : les bars à soupe. Les bars à soupe proposent des soupes chaudes et des soupes froides.

1. Observez le document. Essayez de déterminer l'ingrédient principal de trois soupes.

2. Écoutez l'enregistrement et répondez.
   a. « Un bar à soupe », qu'est-ce que c'est ?
   b. Est-ce que la carte change ? Expliquez.
   c. Citez trois soupes proposées par Jeanne.
   d. Pour 10 euros, qu'est-ce que le client peut consommer ?

3. Et dans votre pays, quelle est la place du potage ?

Bars à soupe
Produits de saison 100 % naturels
Soupe chaude toute l'année
En été, nous proposons également des soupes froides.

Tarifs
- Sur place : 3,50 € pour 33 cl et 4,90 € pour 50 cl
- À emporter : 4,50 € les 50 cl
- ❯ Formules de 6,50 € à 10,90 €

2 Soupe ou potage ?

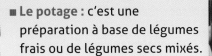

■ **Le potage :** c'est une préparation à base de légumes frais ou de légumes secs mixés.
■ **La soupe :** il y a du pain ou des pâtes dans les ingrédients.
■ **Le bouillon :** c'est une préparation de base. C'est l'eau de cuisson de la viande, du poisson, des légumes.

Une soupière

■ **Le velouté :** on ajoute un mélange de crème fraîche et de jaune d'œuf dans la soupe à la fin de la cuisson.

Aujourd'hui, on utilise surtout le mot soupe. Sur les cartes des restaurants, soupe et potage signifient la même chose !

4. Lisez le document et associez la préparation et les ingrédients.

Ingrédients	Préparation
Blanc de poireau, pommes de terre •	• Consommé madrilène
Chou-fleur, crème, œufs •	• Soupe à l'oignon gratinée
Oignons, baguette, gruyère •	• Potage Parmentier
Bœuf, volaille, carottes, oignons, poireaux •	• Velouté Dubarry

Fiche cuisine

La soupe au pistou est une spécialité provençale (sud de la France) à base de légumes d'été. Le mélange de basilic et d'ail haché dans l'huile d'olive s'appelle le pistou !

La soupe au pistou (8 couverts)

Denrées	Unités	Quantité	Techniques de réalisation
Éléments de base			**Mettre en place le poste de travail**
Carottes	kg	0,400	Préparation des denrées, du matériel de préparation,
Courgettes	kg	0,400	de cuisson et de dressage.
Poireaux	kg	0,400	
Tomates	kg	0,400	**Préparer les légumes**
Pommes de terre	kg	0,400	Éplucher et laver soigneusement les légumes.
Haricots verts	kg	0,200	Canneler les courgettes.
Oignons	kg	0,200	Monder et concasser les tomates.
Céleri	kg	0,200	Tailler les légumes en dés de 1 cm.
Haricots blancs frais	kg	0,100	
Haricots rouges frais	kg	0,100	**Faire cuire la soupe**
Pâtes (coquillettes)	kg	0,100	Porter 1,5 L d'eau à ébullition.
			Ajouter les légumes et faire cuire 1 heure.
Pistou			Ajouter les pâtes 10 minutes avant la fin de la cuisson.
Ail	Gousse	5	
Basilic	Botte	1/2	**Réaliser le pistou**
Huile d'olive	L	0,20	Piler l'ail et les feuilles de basilic dans un mortier.
Parmesan	kg	0,050	Ajouter l'huile d'olive.
Pommes de terre	QS		Piler jusqu'à obtenir une pâte homogène.
Tomates	QS		Ajouter un peu de parmesan et assaisonner.
Assaisonnement			**Dresser la soupe au pistou**
Sel	QS		Ajouter le pistou dans la soupe.
Poivre	QS		Dresser la soupe dans une soupière.

5. Pour ou contre le potage !

Vous préparez un déjeuner pour la visite d'une personnalité étrangère. Discutez avec la brigade de cuisine : faut-il proposer un potage ?

PROJET

Vous réalisez un inventaire des ustensiles de cuisine du laboratoire de l'école ou de votre lieu de travail.

- Faites plusieurs groupes. Un groupe s'occupe du matériel de cuisson, un autre du matériel de préparation et un dernier des petits ustensiles.
- Choisissez ensemble le format de la fiche d'inventaire.
- Réalisez l'inventaire puis regroupez le travail de chaque groupe dans une fiche unique.
- Affichez l'inventaire en cuisine. Consultez souvent l'inventaire : il vous aidera à mémoriser les ustensiles !

Le pays du fromage

LES FRANÇAIS ET LE FROMAGE
La place du fromage dans les habitudes alimentaires des Français

Le fromage est un symbole de la France. C'est un produit du terroir. Les Français aiment les produits traditionnels de la campagne. En France, il existe plus de 1000 variétés de fromages. Il y a beaucoup de variétés régionales.

La plupart des Français mangent du fromage tous les jours. En moyenne, ils consomment 24 kilos de fromage par an et par personne ! Ce sont les plus gros consommateurs de fromage au monde après les Grecs.

En France, on mange du fromage à la fin du repas, avant le dessert. Les Français aiment surtout les fromages à pâte molle, comme le camembert ou le brie de Meaux.

D'après le Centre national interprofessionnel de l'économie laitière (CNIEL).

1. **À quel moment du repas on mange du fromage en France ?**
2. **Quels sont les fromages préférés des Français ?**

Un métier et une passion : trois questions à un maître fromager affineur

En quoi consiste votre métier ?

Un maître fromager est responsable de l'affinage du fromage. Mon travail consiste à surveiller la formation d'une belle croûte. Je détermine quand le fromage est bon pour la dégustation !

Les Français et le fromage, c'est une histoire d'amour ?

Oui, c'est vrai, les Français aiment beaucoup le fromage. Il y a de magnifiques plateaux de fromages en France. La dégustation du fromage c'est un moment de plaisir gastronomique. Il faut déguster le fromage avec un bon vin et du pain !

Le fromage est-il bon pour la santé ?

Le fromage est très important dans l'alimentation. C'est une source de calcium pour la croissance. Par exemple, 30 grammes de gruyère apportent la moitié des besoins journaliers en calcium. Cependant, il ne faut pas manger trop de fromage !

1. **Qu'est-ce que l'affinage du fromage ?**
2. **Est-ce que le fromage est bon pour la santé ? Expliquez.**

« *Comment voulez-vous gouverner un pays où il y a plus de 300 sortes de fromages ?* »

Charles de Gaulle

Des fromages pour tous les goûts

La majorité des fromages français sont faits avec du lait de vache.
Les autres sont faits avec du lait de chèvre ou du lait de brebis,
c'est le cas du roquefort, par exemple.
Pour classer les fromages on observe la texture de leur pâte
et la qualité de leur croûte.

*Le fromage blanc
ou la faisselle sont
des fromages frais.*

*Le comté, le beaufort ou
le saint-nectaire sont des
fromages à pâte dure.*

*Le camembert de
Normandie ou le brie
de Meaux sont des
fromages à pâte molle.*

*Le roquefort, ou les bleus
(bleu d'Auvergne, bleu de
Bresse), sont des fromages
à pâte persillée.*

*Le fromage de
chèvre est frais
ou sec.*

1. Et dans votre pays est-ce qu'il y a beaucoup de variétés de fromages ? Est-ce qu'on mange beaucoup de fromages ? Comment mange-t-on le fromage ?

La fondue savoyarde

La fondue savoyarde est une spécialité de Savoie, une région
très montagneuse. La fondue savoyarde est une préparation à base
de fromage fondu. On trempe des petits morceaux de pain dans
le fromage. C'est un plat à déguster en hiver avec des amis !

Ingrédients :
Pour une bonne fondue, comptez 200 à 250 g
de fromage par personne.
- 1/3 de beaufort
- 1/3 de comté
- 1/3 de gruyère de Savoie
- 1 verre de vin blanc de Savoie
- 1 verre à liqueur de kirsch
- 1 gousse d'ail
- 1 gros pain à croûte

Ustensiles :
un caquelon et un réchaud

Préparation :
– Détaillez le pain en petits morceaux et réservez.
– Râpez le fromage.
– Frottez le caquelon avec l'ail.
– Faites chauffer le vin blanc dans le caquelon.
– Quand le vin mousse, baissez le feu. Ajoutez peu
  à peu le fromage râpé. N'arrêtez pas de mélanger.
– Lorsque le mélange est homogène, ajoutez le kirsch.
– Posez la fondue sur un réchaud.
– Piquez un morceau de pain au bout de la fourchette.
  Trempez la fourchette avec le pain dans le fromage
  et tournez.
– Dégustez la fondue avec un vin blanc de Savoie
  comme l'Apremont.

1. Est-ce que vous connaissez des recettes à base fromage ?
   Présentez-les à vos camarades.

1 Choisissez la bonne réponse.

a. On fait chauffer l'eau dans :
- ❑ une bassine.
- ❑ un couvercle.
- ❑ une marmite.

b. On transporte des aliments avec :
- ❑ un bac.
- ❑ une plaque à débarrasser.
- ❑ une casserole.

c. On cuit les gâteaux dans :
- ❑ une salamandre.
- ❑ un moule.
- ❑ un sautoir.

d. On fait cuire des œufs dans :
- ❑ une poêle.
- ❑ un plat à rôtir.
- ❑ une sauteuse.

e. On égoutte les aliments dans :
- ❑ un rondeau.
- ❑ une passoire.
- ❑ une chambre froide.

f. On fait les préparations dans :
- ❑ une calotte.
- ❑ la plonge.
- ❑ un fouet.

2 Écoutez le chef, sélectionnez le matériel nécessaire.
- ❑ une plaque à débarrasser
- ❑ une calotte
- ❑ un bahut
- ❑ un bain-marie
- ❑ un couvercle
- ❑ une russe
- ❑ un rondeau
- ❑ une plaque à rôtir
- ❑ une marmite
- ❑ une soupière

3 Complétez les phrases avec un comparatif.

a. La soupe à l'oignon est … longue à réaliser … la soupe au pistou. (-)

b. Les champignons rôtis sont … bons … les champignons grillés. (=)

c. La sauteuse, c'est … … la poêle pour faire revenir les légumes. (+)

d. La viande est … salée … le potage ! (=)

e. Ce nouveau fourneau est … bien … l'autre. (-)

f. Les pommes de terre doivent cuire … longtemps … les courgettes. (+)

4 Associez.

Une russe	•	• étuver
Une soupière	•	• éplucher
Un couvercle	•	• pocher
Une sauteuse	•	• dresser
Un poêle	•	• frire
Une plaque à débarrasser	•	• sauter

5 Écoutez et complétez le tableau des cuissons.

Denrées	Griller	Frire	Rôtir	Pocher	Étuver	Sauter
Le poisson						
Les œufs						
Les champignons						

6 Mettez dans l'ordre la préparation des œufs durs.

a. Rafraîchir dans l'eau froide.

b. Porter l'eau à ébullition dans une russe.

c. Écaler les œufs.

d. Laisser cuire pendant 9 à 11 minutes.

e. Mettre sur un plat et réserver.

f. Passer sous l'eau froide.

g. Égoutter les œufs avec une passoire.

7 Il y a un nouveau fourneau dans la cuisine. Décrivez ce nouveau fourneau à l'apprenti. L'apprenti pose des questions. Vous expliquez ce qu'il ne faut pas faire. Jouez la scène à deux.

Saignant, à point, ou bien cuit ?

Au menu

- ❏ Découvrir les viandes et les volailles
- ❏ Utiliser les herbes aromatiques et les épices
- ❏ Réaliser les fonds et les sauces
- ❏ Compléter une fiche technique de fabrication

Plat du jour

- ❏ La blanquette de veau à l'ancienne

Et pour finir...

- ❏ Vous réalisez un livre de recettes.

Quelles viandes reconnaissez-vous ?

1 La boucherie

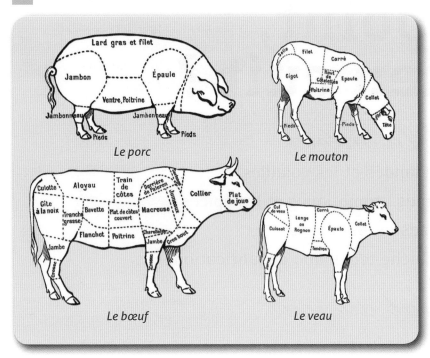

Le porc

Le mouton

Le bœuf

Le veau

Le saviez-vous ?
Le jeune mouton (mâle) s'appelle l'agneau. Le chevreau est le petit de la chèvre.

1. Observez le document et classez les viandes de ces 4 animaux selon la couleur de leur chair : blanche, rouge ou rosée.

2. Observez le document et complétez. Il y a parfois plusieurs réponses possibles.
   a. Carré de ... à la moutarde et au miel.
   b. Bavette de ... aux échalotes et à la crème.
   c. Filet mignon de ... aux champignons.
   d. Côtes de ... grillées.
   e. Gigot ... rôti à l'ail.
   f. Poitrine de ... pochée aux lentilles.

2 Les catégories de viande

 3. Écoutez les conseils du boucher et répondez.
   a. Combien il y a de catégories de viande ?
   b. Pour chaque catégorie de viande, indiquez le temps de cuisson : long ou court.
   c. Indiquez un morceau pour chaque cuisson.
   d. Complétez le tableau.

	Griller	Rôtir	Sauter	Braiser	Pocher
1re catégorie					
2e catégorie					
3e catégorie					

Les mots pour

Compter
• 1er → premier / première
• 2e → deuxième ; second / seconde
• 3e → troisième
• 10e → dixième
• 100e → centième
• dernier / dernière

RECETTE DE GRAMMAIRE

Les adverbes de fréquence

▦ Ils servent à indiquer la fréquence d'une action.
jamais ≠ toujours, quelquefois / parfois, souvent
• *Ce morceau est **souvent** grillé.*
• *Cette viande n'est **jamais** pochée.*

1 Répondez aux questions. Utilisez *quelquefois, parfois, souvent, toujours, jamais.*

   a. Est-ce que vous préparez des plats de viande ?
   b. Est-ce que vous inventez des recettes ?
   c. Est-ce que vous faites attention quand vous cuisinez ?
   d. Est-ce que vous parlez en français avec vos camarades ?
   e. Est-ce que vous cuisinez pour votre famille ?

2. LES HERBES AROMATIQUES

1 Découvrir les herbes aromatiques

La ciboulette

Le laurier

L'estragon

La marjolaine

L'aneth

Le romarin

La menthe

Le thym

Le persil

 1. Écoutez l'enregistrement et répondez.

a. Quels sont les ingrédients du bouquet garni ?

b. Comment fait-on cuire le bouquet garni ?

c. Quand l'utilise-t-on ?

2 Les épices

Le piment

Le safran

Le gingembre

La cannelle

La vanille

L'anis

> Les épices donnent de la saveur aux plats. J'utilise les piments pour un filet de bœuf aux courgettes. Le safran ? Je l'utilise pour un sauté d'agneau. J'utilise l'anis avec des côtes de porc. Je les prépare aussi avec du miel et du gingembre. J'utilise la cannelle et la vanille pour les desserts.

2. Lisez les documents et répondez.

a. À quoi servent les épices ?

b. Quels sont les plats aux épices mentionnés ?

RECETTE DE GRAMMAIRE

Les pronoms compléments directs : *le, la, l', les*

■ *le, la, l', les* remplacent un complément direct du verbe.
- *Vous ciselez le persil.* → *Vous **le** ciselez.*
- *J'essuie les feuilles de laurier.* → *Je **les** essuie.*

1 Remplacez le mot en gras par un pronom.

a. Vous laverez **le basilic**.

b. Tu ajoutes **le safran** dans la sauce.

c. Nous préparerons **une longe de veau**.

3 Phonétique

 3. Écoutez, répétez et notez quel son vous entendez :
[ã] (an/en/em/am), [ɛ̃] (in/im/ain), [ɔ̃] (on/om).

3. LES FONDS ET LES SAUCES

1 Découvrir les sauces

La mayonnaise

La vinaigrette

La sauce tomate

La sauce béarnaise

La sauce béchamel

La sauce hollandaise

1. Avec quels plats associer ces sauces ?

2. Est-ce que vous connaissez d'autres sauces françaises ?

2 Préparer une sauce

Mémo

Les fonds : préparation pour réaliser les sauces chaudes. On utilise les fonds blancs pour les viandes blanches ou les légumes et les fonds bruns pour les viandes colorées à la cuisson.

Réduire : laisser cuire doucement pour condenser les sucs.

Déglacer : dissoudre les sucs avec un liquide (du vin, de la crème fraîche, du vinaigre...)

Dégraisser : éliminer la graisse à la surface d'un fond ou d'une sauce.

Passer au chinois : filtrer la sauce.

Lier une sauce : ajouter un ingrédient (farine, œuf...) pour changer la saveur et la consistance d'une sauce.

Un roux : préparation avec du beurre et de la farine

Un chinois

RECETTE DE GRAMMAIRE

Le pronom *en*

■ « en » sert à exprimer une quantité indéterminée.
- *Il faut du basilic.* → *Il en faut.*
- *Tu veux des haricots ?* → *Tu en veux ?*
- *Prends des côtelettes !* → *Prends-en !*

3. Consultez les notes du commis saucier, écoutez l'enregistrement et répondez.

  a. Quelle est la cuisson à respecter pour réaliser une sauce béarnaise ?

  b. Quelle est la dernière étape de la sauce espagnole ?

  c. Quelle est la technique de la sauce béchamel ?

  d. Qu'est-ce qu'une sauce nantua ? Quelles sont les 4 étapes de réalisation de cette sauce ?

1 Remplacez les mots en gras par le pronom *en*.

  a. Pour la sauce espagnole, il faut **de la poitrine de porc**.

  b. Tu veux **de la mayonnaise** ?

  c. Il y a trop **de piment** dans cette sauce.

  d. Ajoutez **du sel** !

1 Découvrir les volailles

1. Observez l'image puis associez les plats et les volailles.

la poule au pot

la dinde de Noël

le coq au vin

le canard à l'orange

le foie gras d'oie

La dinde

L'oie

L'oie

Le canard

La poule

Le coq

tranches de foie de volaille poêlé

volaille rôtie et farcie aux marrons

volaille cuite dans le bouillon avec des légumes

volaille marinée dans une sauce au vin

volaille accompagnée d'une sauce aigre-douce

2. Présentez un plat à base de volaille.

 3. Écoutez l'enregistrement et répondez.
 a. Que signifie habiller une volaille ?
 b. Que signifie « poêler » ?
 c. Que fait l'apprenti ? Expliquez.
 d. Quel verbe signifie « enlever les os de la viande » ?
 e. Que fait-on quand on détaille en fines tranches ?

RECETTE DE GRAMMAIRE

Le présent progressif

▪ Il se construit avec *être en train de* + infinitif.
 • *Je **suis en train de** cuisiner.*

1 Qu'est-ce que vous êtes en train de faire ?
Et vos amis ?

2 Le magret de canard

C'est un filet de poitrine de canard. C'est un plat du sud-ouest de la France.

4. Mettez dans l'ordre les étapes techniques de la réalisation du magret de canard.
 • *préparer les magrets – réaliser la sauce – dresser les magrets – mettre en place le poste de travail – faire cuire les magrets*

5. Consultez les ingrédients de la fiche technique. Mettez la recette de la sauce dans l'ordre.
 a. Ajouter la crème et faire réduire pour obtenir une sauce onctueuse.
 b. Ajouter la moutarde et mélanger.
 c. Déglacer les sucs avec le vin blanc.
 d. Ajouter et écraser le poivre vert.
 e. Ajouter le fond brun de volaille et réduire le feu.

Magret de canard au poivre vert (6 couverts)		
Denrées	Unités	Quantité
Éléments de base		
Magret de canard	kg	1,200
Beurre	kg	0,050
Sauce		
Vin blanc	L	0,10
Fond de volaille brun	L	0,30
Crème liquide	L	0,20
Moutarde	kg	0,10
Poivre vert	kg	0,10
Assaisonement		
Sel		QS
Poivre		QS

1 Une bonne sauce

Le canard à l'orange est une des spécialités de la maison. Pour réussir cette recette, il faut réaliser une bonne cuisson du canard. Et surtout, il faut réussir une sauce à l'orange parfaite !

À la fin de la cuisson, débarrassez le canard et dégraissez le fond de cuisson.

Puis déglacez les sucs avec un peu de jus d'orange et du vin de Porto. Ajoutez un fond de volaille et laissez réduire pendant quelques minutes. Á ce moment, surveillez bien l'onctuosité et la couleur. Vérifiez aussi l'assaisonnement.

Passez la sauce au chinois étamine et ajoutez encore un peu de jus d'orange. Enfin, contrôlez la saveur, l'équilibre entre le sucré et le salé.

1. Écoutez l'enregistrement ou lisez le texte et répondez.
   a. Quelles sont les deux étapes importantes pour réussir le canard à l'orange ?
   b. Quand faut-il dégraisser ? Et quand faut-il ajouter le fond de volaille ?
   c. Avec quoi déglacer les sucs ?
   d. Qu'est-ce qu'il ne faut pas oublier de contrôler à la fin ?

Les mots pour

Parler des sauces
- Une sauce onctueuse = veloutée
- Une sauce légère ≠ épaisse
- Une sauce fade ≠ relevée, piquante, épicée
- Une sauce aigre ≠ douce
- Une sauce aigre-douce

2. Complétez les observations du saucier. Utilisez le vocabulaire de l'encadré « Les mots pour ».
   a. Votre béchamel est trop ... , ajoutez du lait, elle doit être plus ... .
   b. Ajoute du poivre et du sel, la sauce est trop ..., la saveur n'est pas assez ... .
   c. Beaucoup trop de piment dans cette sauce, elle est trop ... .

3. Le chef explique aux commis de salle la composition des plats. De la même façon, expliquez la composition des plats ci-dessous.

Canard à l'orange : canard poêlé et servi avec une sauce aigre-douce à base d'orange et accompagné de pommes de terre frites.

Veau Marengo : cubes d'épaule de veau cuits dans une sauce tomate et accompagnés de petits oignons et de champignons émincés.

Gigot d'agneau sauce au vin rouge

Rôti de porc à la bière et à la moutarde

Pavé de bœuf poêlé sauce au poivre

Poulet grillé à l'américaine sauce rouge

4. Associez le verbe à sa définition.

Déglacer •   • Plonger dans l'eau froide puis porter à ébullition.

Blanchir •   • Ajouter du liquide à une préparation pour permettre la cuisson.

Mouiller •   • Dissoudre à l'aide d'un liquide les sucs de cuisson pour obtenir une sauce.

Fiche cuisine

La blanquette de veau à l'ancienne

C'est une recette traditionnelle. C'est de la viande de veau bouillie.

Temps de préparation : 1h30

Ustensiles : des plaques à débarrasser, des calottes, une planche à découper, un chinois étamine, une grande russe, des sauteuses, un plat.

Ingrédients (pour 8 personnes)
• 2 kg d'épaule de veau

Pour la garniture aromatique
• 1 L de fond blanc de veau   • Céleri
• 300 g de carottes   • un bouquet garni
• 300 g d'oignons   • 2 clous de girofle

Assaisonnement
• Sel   • Poivre

Pour la garniture à l'ancienne
• 250 g de champignons de Paris
• 250 g de petits oignons
• 1 L de fond de cuisson
• 20 g de beurre
• un demi citron

Pour le velouté
• 70 g de beurre   • 1 dl de crème épaisse
• 70 g de farine   • 2 jaunes d'œuf
• 1,5 L de fond blanc de cuisson

Préparation
– Préparez et blanchissez la viande dans une russe puis réservez.
– Épluchez et lavez tous les légumes. Taillez les carottes en bâtonnets et les oignons en quartiers. Piquez les clous de girofle dans les morceaux d'oignons.
– Placez la viande dans une russe, mouillez avec le fond de veau. Ajoutez la garniture aromatique. Laissez cuire pendant 45 minutes.
– Épluchez et glacez les petits oignons. Épluchez et émincez les champignons. Étuvez les oignons et les champignons, ajoutez le jus de citron.
– Passez le jus de cuisson au chinois
– Réalisez un roux. Versez le fond de cuisson bouillant sur le roux et remuez avec un fouet jusqu'à ébullition. Laissez cuire le velouté pendant 10 minutes.
– Mélangez les jaunes d'œufs avec la crème. Ajoutez au velouté hors du feu, mélangez puis laissez bouillir pendant quelques secondes. Vérifiez l'onctuosité de la sauce.
– Dressez la blanquette avec sa garniture, versez la sauce sur la viande.

PROJET

Vous réalisez en commun un livret de recettes de viandes et de volailles.

◆ Apportez des suggestions pour des recettes de viandes ou de volailles et sélectionnez-les.

◆ Choisissez un format simple de rédaction des recettes (temps de préparation, ingrédients, matériel, phases de réalisation).

◆ Rédigez les recettes et composez le livret.

◆ Vous pouvez maintenant réaliser les recettes !

1 Chassez l'intrus

a. le persil – la vanille – le basilic – le romarin – le laurier

b. le veau – le bœuf – l'agneau – le porc – l'oie

c. déglacer – désosser – escaloper – brider – habiller

d. un gigot – des côtes – une cuisse – des sucs – un filet

2 Écoutez l'enregistrement et notez les commandes.

a. Une épaule … sauce à la … .

b. Une cuisse de … au … et au … .

c. Un rôti de … à l'… .

d. Un filet de … veau, sauce … .

3 Remplacez le mot en gras par un pronom complément : *le, l', la, les.*

a. Il goûte **la volaille**.

b. Tu désosseras **l'oie**.

c. Elle aime beaucoup **la viande de veau**.

d. Je passe toujours **les fonds** au chinois.

e. Nous mangeons **le gigot** avec des haricots

f. Ils déglacent **les sucs** avec du vin blanc.

4 Écoutez l'enregistrement et notez les conseils du saucier.

a. Sauce bourguignonne : …

b. Sauce tomate : …

c. Fond brun : …

d. Sauce suprême : …

e. Sauce béchamel : …

5 Vous voulez réaliser les plats ci-dessous. Vous passez commande de la viande et de la volaille au boucher. Indiquez la viande ou la volaille nécessaire.

6 Expliquez la réalisation de la sauce tomate. Faites 5 phrases.

7 Répondez en utilisant le pronom *en*, comme dans l'exemple.

• *Tu as besoin d'épices ? Oui, j'**en** ai besoin.*

a. Ajoute du sucre dans la crème. Oui, j'…

b. Est-ce qu'il faut du piment ? Oui, il …

c. Vous prenez de la viande au dîner ? Non, nous …

d. Elle a besoin du chinois ? Oui, elle …

8 Mettez les phrases au présent progressif.

a. Nous préparons une sauce pour le canard.

b. J'habille une volaille.

c. La viande cuit dans le four.

d. Les commis préparent les magrets.

9 Évoquez des tâches de votre activité professionnelle. Utilisez les adverbes de fréquences suivant : *toujours, jamais, souvent, quelquefois.*

• *Je prépare **souvent** les sauces.*

UNITÉ 8
Les produits de la mer

Au menu

- ❏ Préparer le poisson
- ❏ Découvrir des plats de poisson
- ❏ Découvrir les crustacés
- ❏ Exprimer ses goûts
- ❏ Rédiger une fiche de fabrication

Plat du jour

- ❏ La sole meunière

Et pour finir...

- ❏ Vous présentez la gastronomie d'une région française.

Quels produits de la mer connaissez-vous ?

1 Choisir le poisson

Les arêtes — Les écailles — L'œil — L'abdomen — Les branchies — Les nageoires — La peau

1. Écoutez le poissonnier et répondez.
- **a.** Qu'est-ce que l'odorat permet d'évaluer ?
- **b.** Et le toucher ?
- **c.** Comment doivent être les yeux ?
  Et les écailles ?

2. Écoutez le poissonnier. Complétez avec un adjectif, faites les accords.
- *ferme – brillant – transparent – agréable – rouge*
  L'odeur doit être … . L'œil doit être …
  et les écailles … . Les branchies doivent être … .
  La peau doit être … .

2 Préparer le poisson

3. Lisez le dialogue et relevez les différentes étapes de la préparation des poissons.

Second de cuisine : Bonjour chef, voici le nouveau commis. Il s'occupera de la préparation des poissons. Vous pouvez lui expliquer le travail ?

Chef : D'accord, est-ce que tu sais habiller les poissons ? Habiller les poissons, c'est les préparer pour la cuisson.

Commis : Je sais écailler les poissons.

Chef : Très bien, mais il faut aussi leur enlever les nageoires. Ça s'appelle ébarber. Est-ce que tu sais vider les poissons ?

Commis : Je n'ai jamais vider les poissons.

Chef : Alors regarde. Il faut leur tenir la tête. Puis tu fais une petite incision sur l'abdomen. Enfin on retire tout l'intérieur.

Commis : Le poisson est prêt ?

Chef : Non, il faut encore faire dégorger le poisson. Ensuite, on pourra le découper. Suivant le type de poisson, on lève des filets et on découpe une darne ou un tronçon.

RECETTE DE GRAMMAIRE

Les pronoms compléments indirects : *lui, leur*

- Il remplace un complément indirect du verbe.
  - *Il parle au commis.* → *Il **lui** parle.*
  - *Il prépare une soupe de poissons aux invités.*
    → *Il **leur** prépare une soupe de poissons*
  À l'impératif : *dites-**leur** ; demande-**lui**.*

1 Remplacez les mots soulignés par un pronom.

- **a.** Vous demanderez **au chef**.
- **b.** Elle donne des conseils **aux apprentis**.
- **c.** Nous demandons **aux clients** de sortir de la cuisine.
- **d.** Dis **au second** de venir.

2 Dans le dialogue, remplacez les pronoms *lui* et *leur* par des noms.

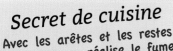

Secret de cuisine
Avec les arêtes et les restes de poisson, on réalise le fumet de poisson. Le fumet sert à préparer des sauces.

1 Chez le poissonnier

	lipides/100g	Oméga-3	prix
Anguille	14,9 g	2986 mg	23,80 €/kg
Cabillaud	0,4 g	188 mg	18,50 €/kg
Daurade royale	4,8 g	1239 mg	34,50 €/kg
Rouget	8,9 g	2021 mg	18,80 €/kg
Sardine	13,8 g	2637 mg	7,60 €/kg
Sole	0,4 g	137 mg	32,50 €/kg
Truite	7,0 g	1997 mg	9,80 €/kg
Turbot	3,8 g	1071 mg	30 €/kg

1. Consultez le tableau et classez
   les poissons selon leur provenance
   (eau de mer ou eau douce) et leur forme
   (poisson rond ou plat).

2. Lisez le tableau et répondez.
   a. Quels poissons sont gras ? Et maigres ?
   b. Quels poissons ne sont pas très chers ?
   c. Quels poissons sont riches en oméga-3 ?

Le saviez-vous ?
La darne est une tranche
de gros poisson.

2 Cuisiner les poissons

3. Écoutez l'interview et associez les plats aux modes de cuisson.

Au court-bouillon •

Sauter •

À court-mouillement •

Marinade •

Griller •

• Darne de colin poché et brocolis
  à la vapeur
• Filet de sole sauce au poivron rouge
• Tartare de sardines aux tomates
  et aux raisins
• Dos de cabillaud, sauce aux olives
  et purée de pommes de terre
• Tronçon de turbot grillé beurre blanc

4. Quel mode de cuisson conseillez-vous
   pour ces plats ?

➤🐟 *Tartare de saumon
    au gingembre frais*
➤🐟 *Filets de sole sauce au romarin*
➤🐟 *Truites pochées au vin d'Alsace*
➤🐟 *Daurade grillée au fenouil*
➤🐟 *Steak de lotte au poivre*

1 La livraison du poisson

Recommandations sanitaires

➤ Choisissez avec attention votre fournisseur.
➤ Contrôlez toujours les informations sanitaires à la réception d'une livraison.
➤ Vérifiez l'état de fraîcheur de la livraison (température à 0/+2°).
➤ Respectez les règles de stockage.
➤ Habillez les poissons dans un endroit propre.
➤ Nettoyez et désinfectez les plans de travail.
  Ne laissez pas de déchets.

1. Lisez le texte. Les phrases sont-elles vraies ou fausses ?

	Vrai	Faux
a. Rangez les poissons dans une chambre froide.	❏	❏
b. Nettoyez le plan de travail puis habillez le poisson.	❏	❏
c. Achetez le poisson chez un fournisseur sérieux.	❏	❏
d. Signez le bon de livraison puis vérifiez les informations.	❏	❏

2. Vous expliquez à un collègue les erreurs à éviter au moment de la livraison. Le collègue pose des questions. Jouez la scène à deux.

🎧 **3. Écoutez la conversation et répondez**
  a. Quel est le problème avec l'identification sanitaire ?
  b. Quel poisson manque dans la commande ? Pourquoi ?
  c. Quel est le problème avec la fraîcheur du poisson ? Que répond le livreur ?
  d. Indiquez un autre problème ?
  e. Quelle est la décision du commis ?

RECETTE DE GRAMMAIRE

La négation

▮ Pour mettre une phrase à la forme négative, on utilise :
ne... pas, ne... plus, ne... jamais, ne... rien, ne... personne
• *Ils viennent.* → *Ils **ne** viennent **pas**.*
• *Paul travaille **encore** au restaurant.* → *Paul **ne** travaille **plus** au restaurant.*
• *Laura observe **toujours** le poisson.* → *Laura **n'**observe **jamais** le poisson.*
• *Je contrôlerai **tout**.* → *Je **ne** contrôlerai **rien**.*
• *J'attends **quelqu'un**.* → *Je **n'**attends **personne**.*

1 Mettez à la forme négative.

- -

  a. Matteo écaille souvent les poissons.
  b. Tu fais toujours la même recette.
  c. Il y a beaucoup de monde aujourd'hui.
  d. Anne et Clara veulent tout goûter.
  e. Il y a encore de l'espadon

4. Choisissez un rôle (commis ou livreur) et imaginez le contrôle d'une livraison de poissons. Jouez la scène à deux

1 Découvrir les fruits de mer

La Marée

Spécialités de fruits de mer

Nos fruits de mer se dégustent sans modération. Vous vous régalerez avec des langoustines, des crevettes, du crabe, des moules, des huîtres...

Plateau de fruits de mer

Langoustines

Coquille Saint-Jacques

Crevettes

Calamars

2 Préparer les fruits de mer

🎧 **3. Écoutez la recette des moules marinières et complétez la fiche technique.**

Moules marinières (8 couverts)			
Denrées	**Unités**	**Quantité**	**Techniques de réalisation**
- ...			Mettre en place le poste de travail
- ...			
- Échalotes	kg	0,100	- ...
- ...			- ...
- Persil	kg	0,20	Marquer les moules en cuisson
			- ...

1. Rangez les fruits de mer cités dans le document dans la bonne catégorie.

   a. Les crustacés ont une carapace.

   b. Les coquillages ont une coquille.

   c. Les mollusques n'ont pas de coquille et pas de carapace.

2. Quels fruits de mer vous aimez ? Quels fruits de mers vous n'aimez pas ? Répondez et utilisez les verbes de l'encadré « Les mots pour ».

> ### Les mots pour
>
> **Exprimer ses goûts**
> - Adorer ☺ ☺
> - Aimer ☺ ≠ Ne pas aimer ☹
> - Détester ☹ ☹
> - Préférer

RECETTE DE GRAMMAIRE

Les verbes pronominaux

▦ Un pronom personnel réfléchi est placé avant le verbe conjugué.
- *Je **me lave** les mains.*
- *Les coquillages **se dégustent** toute l'année.*

▦ Se laver

je **me** lave	nous **nous** lavons
tu **te** laves	vous **vous** lavez
il/elle/on **se** lave	ils/elles **se** lavent

1 Conjuguez les verbes au présent de l'indicatif

Bonjour, je (*se présenter*), je (*s'appeler*) Adèle. Je suis commis poissonnier. Vous (*se demander*) comment mes journées de travail (*se dérouler*) ? Le matin je (*se lever*) très tôt. Puis je (*se rendre*) au restaurant. Avec les autres commis, nous (*se mettre*) au travail. Nous (*s'occuper*) des différentes préparations.

3 Phonétique

🎧 **4. Écoutez et répétez. Entourez le son [s] et soulignez le son [k].**

   a. crustacé   **e.** mollusques

   b. coquillage   **f.** ces sauces

   c. carapace   **g.** quel citron

   d. écrevisse   **h.** laisse ce poisson

En cuisine

1 Spécialités régionales

Un critique gastronomique parle de la variété régionale des plats de poisson.

🎧 **1. Écoutez l'enregistrement et répondez.**

a. Associez chaque spécialité à sa région d'origine.

b. Indiquez la composition de chaque plat.
sole normande – anchois à la catalane – bouillabaisse – coquilles Saint-Jacques nantaise – homard à l'armoricaine

2. Présentez à vos camarades des spécialités de poissons de votre pays ou de votre région.

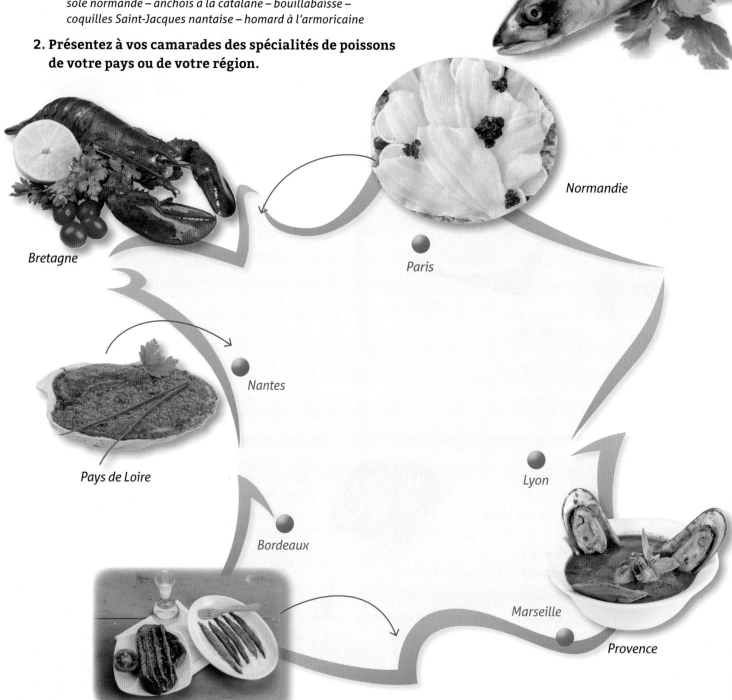

Normandie

Bretagne

Paris

Nantes

Pays de Loire

Lyon

Bordeaux

Marseille

Provence

Languedoc-Roussillon

Fiche cuisine

La sole meunière (6 couverts)

Denrées	Unités	Quantité	Techniques de réalisation
Éléments de base			Mettre en place le poste de travail
Soles	kg	1,5	Habiller les soles
Farine	kg	0,120	Ébarber, écailler, vider et faire dégorger les soles.
Beurre	kg	0,100	Égoutter soigneusement.
Citron	Pièce	1	Préparer le décor
			Laver, équeuter et hacher le persil.
Beurre meunière			Peler et détailler en rondelles les citrons.
Beurre	kg	0,150	Faire cuire les soles
Citron	Pièce	1	Fariner les poissons.
			Dans une poêle, chauffer le beurre.
Décor			Faire frire les soles des deux côtés. Vérifier la coloration.
Citron	Pièce	2	Préparer le beurre meunière
Persil	kg	0,050	Dans une poêle, faire chauffer et mousser le beurre.
			Ajouter un jus de citron.
Assaisonnement			Dresser les soles
Sel		QS	Arroser les soles avec le jus de citron.
Poivre		QS	Ajouter le persil haché.
			Napper avec le beurre meunière.
			Disposer les citrons pelés sur chaque poisson.

Matériel de préparation et de cuisson		Matériel de dressage
2 plaques à débarrasser	1 ciseau à poisson	1 grand plat rond
1 calotte	1 presse-citron	
1 bahut	1 grande poêle	
1 planche à découper		

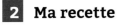

2 Ma recette

3. **Par deux rédigez une fiche technique de fabrication pour un plat de poisson ou de fruits de mer.**

(6 couverts)			
Denrées	Unités	Quantité	Techniques de réalisation
Matériel de préparation et de cuisson		Matériel de dressage	

PROJET

Vous présentez la gastronomie d'une région française.

◆ Par groupes, choisissez le format et le contenu de votre présentation : exposé, poster, diaporama...

◆ Choisissez une région française.
Cherchez des informations sur les spécialités culinaires de cette région.

◆ Sélectionnez une recette de la région et rédigez la fiche technique de fabrication.

◆ Faites votre présentation.

Culture gastronomique

Les vins

Le vin en France en quelques chiffres

La France est le premier producteur mondial de vin avec l'Italie.

La France produit 18 % du vin consommé à travers le monde.

60 % du vin consommé en France est rouge, 23 % est rosé et 17 % est blanc.

Le vin est le 2ᵉ secteur d'exportation français.

Source : FranceAgriMer 2013.

1. Le vin est-il important pour l'économie française ? Expliquez.
2. Faites des recherches sur la consommation et la production de vin dans votre pays.

LA FRANCE VITICOLE

On produit du vin dans 17 régions sur 22, c'est beaucoup ! On retient surtout six grandes zones de production : le Bordelais, la Bourgogne, la vallée du Rhône, la Loire, l'Alsace, la Provence.
Dans la région de Bordeaux, en Bourgogne et dans la vallée du Rhône on trouve d'excellents vins rouges. La vallée de la Loire et l'Alsace sont réputées pour leurs vins blancs. En Provence, on produit beaucoup de vins rosés. Et n'oublions pas la Champagne, pour le célèbre champagne bien sûr !

1. Quelles sont les grandes régions productrices de vin rouge ? Et blanc ?

Les vins français

Le goût du vin

Le vin est un symbole de la gastronomie française. Découvrons un peu cette passion des Français pour le vin avec une œnologue de la région de Bordeaux.

Quels est le vin préféré des Français ?
Cela varie selon les régions. Cependant, les Français préfèrent le vin rouge. Le vin rouge s'accorde avec la viande, la charcuterie et le fromage.

Et le vin blanc ?
On sert le vin blanc plutôt avec les poissons et les fruits de mer.

Il y a beaucoup de grands vins en France.
Oui, en effet ! La région de Bordeaux est une grande région viticole. Elle produit des vins de qualité. Ces vins sont vendus en France et partout dans le monde. On trouve des vins très célèbres comme le Château Margaux ou le Mouton Rotschild.

Accords mets-vins : les conseils du sommelier

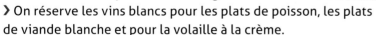

Le choix du vin est important. On choisit le vin en fonction des plats. Il existe quelques règles de base à connaître. Il ne faut pas gâcher un bon repas avec un mauvais choix de vin.

❯ On sert les vins rouges avec des plats de viande rouge, de la charcuterie, des plats en sauce et avec un plateau de fromage.

❯ On réserve les vins blancs pour les plats de poisson, les plats de viande blanche et pour la volaille à la crème.

❯ Les vins rosés sont très bons à l'apéritif en été, avec des entrées froides, des grillades de viandes blanches, et certains plats de poisson comme le saumon.

❯ On boit du champagne à l'apéritif, mais aussi avec des huîtres, du foie gras, des plats de poissons légers et certaines volailles.

1. **Faites le sommelier ! Choisissez des plats que vous connaissez et proposez des vins pour les accompagner.**

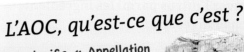

L'AOC, qu'est-ce que c'est ?

AOC signifie « Appellation d'Origine Contrôlée ». C'est un label français de qualité. Pour bénéficier de l'AOC, un produit (vin, fromage…) doit être produit dans certaines zones géographiques et selon un savoir-faire particulier. En France, il y a environ 500 AOC pour le vin.

Tournedos à la sauce bordelaise

Ingrédients (pour 4 personnes)
- 4 tournedos (150 g par personnes)
- 20 g de persil
- Beurre
- Sel et poivre

Pour la sauce bordelaise
- 60 g d'échalotes
- 3 dl de vin de Bordeaux
- 3 dl de fond de veau
- 30 g de beurre
- 30 g de moelle osseuse
- Une branche de thym vert
- Deux feuilles de laurier
- Un petit bouquet de persil

Préparation

Préparez le fond de veau
– Ajoutez le thym et le laurier.

Réalisez la sauce bordelaise
– Faites suer les échalotes au beurre.
– Mouillez avec le vin de Bordeaux. Portez à ébullition et faites flamber.
– Laissez réduire la sauce puis mouillez avec le fond de veau filtré. Laissez encore réduire jusqu'à obtenir une sauce veloutée et brillante.
– Passez la sauce au chinois puis ajoutez lentement le beurre, la moelle osseuse et le persil.

Faites cuire les tournedos
– Salez et poivrez les tournedos avant la cuisson.
– Faites chauffer le beurre dans une poêle.
– Faites cuire les tournedos d'abord sur une face jusqu'à coloration, puis colorez l'autre face.
– Terminez la cuisson selon le degré de cuisson souhaité (bleu, saignant ou à point).

Dressez les tournedos
– Nappez les tournedos avec la sauce bordelaise.
– Ajoutez du persil haché.

1 Trouvez l'intrus parmi les ingrédients de chaque recette.

Dos de cabillaud au four

- dos de cabillaud
- tomates
- petites courgettes
- laitue
- ail
- oignons
- vin blanc

Tartare de saumon

- saumon
- échalotes
- persil
- thym
- vinaigre
- fumet de poisson
- citron

Noix de Saint-Jacques au beurre d'agrumes

- noix de Saint-Jacques
- orange
- pamplemousse
- piments rouges
- crème fraîche liquide
- sel
- poivre

2 Sélectionnez les plats annoncés.

🎧
a. Queue de lotte à l'ail
b. Filets de soles grillées au beurre d'anchois
c. Moules gratinées
d. Poulpe à la provençale
e. Darne de colin au beurre blanc
f. Crabe farci à la bretonne
g. Huîtres à la bordelaise
h. Steak de thon au sésame
i. Tronçon de turbot sauce hollandaise
j. Saumon sauce mousseline
k. Truites pochées au court-bouillon
l. Crevettes à la sauce aigre-douce

3 Conjuguez au présent de l'indicatif.

a. Tous les matins je (*se lever*) tôt pour aller au marché aux poissons.
b. Elles (*s'essuyer*) le front avec un torchon.
c. Tu (*se laver*) les mains avant d'habiller les soles.
d. Vous (*se dépêcher*) s'il vous plaît !
e. Nous (*se protéger*) avec un tablier.
f. Alex (*se couper*) souvent avec le couteau à écailler.

4 Est-ce que les indications suivantes sont vraies ou fausses.

	Vrai	Faux
a. On conserve le poisson à une température entre 0 et 2°.	❑	❑
b. Les crustacés n'ont pas de coquille.	❑	❑
c. Faire dégorger un poisson, c'est le mettre sous l'eau froide pour le nettoyer.	❑	❑
d. Il faut brider le poisson.	❑	❑
e. Le court-bouillon est une préparation aromatique à base de vin blanc.	❑	❑

5 Mettez les phrases à la forme négative.

a. Le second utilise de l'huile pour cuire les poissons.
b. Chef, nous avons encore des moules.
c. Je peux tout faire aujourd'hui.
d. Il y a quelqu'un dans la cuisine.
e. On dégorge toujours le poisson le soir.

6 Remplacez le mot en gras par *lui* ou *leur*.

a. Le chef demande **au commis** de vérifier la livraison.
b. Le livreur apporte le poisson **au chef**.
c. Elle explique les modes de cuisson **aux commis**.
d. Demande **à Pierre et Salomé** de venir.

7 Imaginez à partir de cette étiquette sanitaire, le contrôle d'une livraison de poisson. Jouez la scène à deux.

La Criée
Port de Saint-Malo
Hall 18
35400 Saint-Malo
Filet de cabillaud
Provenance : pêché en Atlantique nord (Danemark)
Poids net 4,5 kg
Conditionné le 23/04/2014 - À conserver entre 0 et 2°
Agrément n° 34869/78

UNITÉ 9
Pour le dessert

Au menu

- ❏ Découvrir les crèmes
- ❏ Conserver les desserts
- ❏ Dresser un plat
- ❏ S'exprimer au passé
- ❏ Donner son avis

Plat du jour

- ❏ Les macarons

Et pour finir...

- ❏ Vous préparez des desserts pour fêter des anniversaires.

Est-ce que vous connaissez ces desserts ?

9
UNITÉ
1. LES CRÈMES

1 Les appareils

Une crème caramel

Une crème brûlée

Une île flottante

Une mousse au chocolat

> *L'appareil*
> C'est un mélange d'ingrédients.
> L'appareil sert pour réaliser
> une préparation sucrée ou salée.

1. Les ingrédients des appareils sucrés sont souvent identiques. Donnez 5 ingrédients d'un appareil sucré. Aidez-vous des images.

2. Voici des techniques de fabrication très utilisées. Dans quelles recettes utilise-t-on ces techniques ?

Blanchir : travailler avec une spatule un mélange d'œufs et de sucre.
Clarifier : séparer les blancs et les jaunes d'œufs.
Incorporer : introduire un élément dans un autre.
Monter des blancs en neige : battre à l'aide d'un fouet des blancs d'œufs. Les blancs d'œufs changent de couleur et de consistance.

🎧 3. Écoutez le pâtissier. Quelle crème faut-il pour réaliser chaque dessert ?

La crème chantilly   La crème au beurre

La crème pâtissière   La crème d'amande

La crème anglaise

le mille-feuille   la tarte aux poires

la bûche de Noël   la charlotte   les choux à la crème

l'éclair   la galette des rois   le bavarois

RECETTE DE GRAMMAIRE

Les pronoms personnels compléments directs et indirects

Direct	Indirect
me	me
te	te
l', le, la	lui
nous	nous
vous	vous
les	leur

1 Complétez les phrases avec un pronom complément.

a. Madame, je … recommande notre crème caramel.
b. Le second … demande mon opinion.
c. La pâtissière est malade, nous … avons apporté un bavarois.
d. Elles ont beaucoup de travail : on … fait nettoyer toute la cuisine.
e. Sophie, le chef … appelle pour … aider.

2. CONSERVER AU FRAIS

1 Servir frais

 1. Écoutez l'enregistrement et répondez.

    a. Quel est l'ingrédient de base de la glace
à la vanille ?

    b. Quelle est la différence entre une glace
et un sorbet ?

    c. À quelle température on conserve
les crèmes ? Et les glaces ?

2. Le pâtissier doit-il effectuer les opérations suivantes ?

	Oui	Non
a. Réserver les crèmes dans l'armoire réfrigérée à + 10° maximum.	❏	❏
b. Mettre les glaces au congélateur à -18°.	❏	❏
c. Prendre les glaces dans le congélateur au début du service.	❏	❏
d. Sortir du réfrigérateur toutes les crèmes à utiliser dans la journée.	❏	❏
e. Remettre au congélateur les glaces non consommées.	❏	❏

RECETTE DE GRAMMAIRE

Le passé composé

▪ Il sert à indiquer une action passée. Il se construit
avec l'auxiliaire **avoir** ou l'auxiliaire **être** suivi du participe
passé du verbe conjugué.
Avec l'auxiliaire *être*, le participe passé s'accorde en genre
et en nombre avec le sujet. Avec l'auxiliaire *avoir*,
en général le participe passé ne s'accorde pas.
• *J'**ai cuisiné** ; tu **as fini** ; nous **avons mangé**…*
• *Elle **est partie** ; elles **sont arrivées** ; ils **sont venus**…*

▪ À la forme négative, la négation encadre le participe passé.
• *Il **n'a pas** mangé.*

➡ Tableaux de conjugaison p. 98.

1 Mettez au passé composé.

    a. Nous (*faire*) une crème chantilly pour les fraises.

    b. Je (*demander*) des conseils au pâtissier.

    c. Tu (*apprendre*) comment faire l'appareil à flan ?

    d. Le glacier (*préparer*) un nouveau sorbet.

    e. Les apprentis (*ne pas arriver*).

    f. Vous (*blanchir*) la crème ?

    g. Elles (*venir*) travailler avec nous.

2 Phonétique

 3. Écoutez, soulignez les liaisons puis répétez.

    a. Les apprentis sont sortis à six heures.

    b. Elles ont pris des éclairs.

    c. Vous êtes satisfaits de ces appareils.

 4. Écoutez. Est-ce que vous entendez *ont* ou *sont* ?

**5. Le commis a mal conservé la crème à base
d'œufs. Expliquez les conséquences et utilisez
les mots proposés.**

    • *infection alimentaire – respecter – température –
bactéries – clients – règles d'hygiène – se développer –
réfrigérateur*

1 Les entremets

1. Associez le nom du dessert et la photo.
• *soufflés au citron – coupe pêche Melba – beignets aux pommes – gratin de fruits rouges*

2. Classez les entremets suivants dans le tableau.
• *une crème – un sorbet – un soufflé – un flan – un beignet – un parfait glacé – un gratin – une mousse*

Entremets froids	Entremets chauds

3. Quelle est la texture des desserts suivants ?
a. La crème glacée à la mandarine
b. La mousse au chocolat
c. Le mille-feuille à la vanille
d. Le flan à la noisette
e. Les macarons praliné-vanille

2 Dresser les desserts

🎧 4. Écoutez l'enregistrement et associez les descriptions et les photos.

5. Décrivez ces desserts : formes et couleurs.

Pour faire des gouttes ou des lignes on utilise la pipette à décorer.

Un gâteau à la crème

Une tranche de cheesecake

Une tarte à la poire

1 L'avis du pâtissier

Est-ce qu'il faut consommer du chocolat ?
Bien sûr ! Selon moi, c'est important.
Le chocolat est un aliment qui est très riche :
il contient plus de 500 calories pour 100 grammes.
Mais il faut distinguer le chocolat noir, le chocolat
au lait et le chocolat blanc.

Quel chocolat faut-il choisir ?
Le chocolat noir a une proportion importante de cacao. Il a des effets
positifs sur la santé : pour le cœur et pour la bonne humeur notamment !
Le chocolat au lait et le chocolat blanc ne sont pas aussi bons pour la santé.
Ils contiennent moins de cacao et plus de sucre que le chocolat noir.

Le sucre est dangereux pour la santé ?
Oui, il ne faut pas manger trop de sucre. Mais il n'y a pas plus de sucre
dans le chocolat noir que dans le pain ou le riz par exemple.

1. Lisez le texte et répondez. Justifiez votre réponse.
- **a.** Est-ce que le chocolat est très sucré ? Justifiez.
- **b.** Quels sont les effets positifs du chocolat sur la santé ?
- **c.** Quelles sont les différences entre le chocolat noir,
  le chocolat au lait et le chocolat blanc ?

**2. Est-ce qu'on mange trop de sucre aujourd'hui ?
Donnez votre avis.**

Les mots pour

Donner son avis
- À mon avis
- D'après moi
- Selon moi

🎧 **3. Écoutez la recette du fondant au chocolat.
Complétez les indications.**

RECETTE DE GRAMMAIRE

Les pronoms relatifs *qui* et *que*

▪ Le pronom relatif remplace un mot ou un groupe de mot.
Il introduit une proposition subordonnée.
- *C'est le pâtissier **qui** travaille avec moi.*
- *C'est le gâteau **que** je préfère.*

1 Complétez avec *qui* ou *que*.

- **a.** Le flan .... tu as fait est excellent.
- **b.** Qui est l'apprenti .... travaille avec le pâtissier ?
- **c.** Le plat ..... tu prépares a l'air délicieux.
- **d.** Où est le fouet .... me sert pour blanchir les œufs ?
- **e.** Utilise le chocolat noir .... est moins sucré.
- **f.** Nous avons beaucoup aimé le dessert ... nous avons choisi.

Ingrédients (pour 6 personnes)
- 200 g de chocolat noir
- 100 g de beurre doux
- 50 g de farine
- 4 œufs
- 50 g de sucre semoule
- 10 cl de lait
- 1 dl de crème fraîche liquide

a. Faites fondre le chocolat avec le beurre
coupé en morceaux dans un bain-marie.

...

e. Versez ensuite le lait et la crème
puis mélangez pour obtenir
un appareil lisse et homogène.

...

Des ramequins

g. Versez la préparation dans des ramequins.

...

En cuisine

1 Le chariot des desserts

Les biscuits

Les petits fours

Le coulis

Les fruits confits

Les meringues

Les confiseries

1. Observez les images et complétez les définitions.

a. Les … sont des produits à base de sucre (bonbons, chocolats, fruits confits, caramel…).

b. Les … sont un mélange de blancs d'œufs et de sucre.

c. Des pâtisseries comme des éclairs de petites tailles sont appelées … .

d. Les … sont des pâtisseries cuites au four. Ils peuvent avoir des formes variées.

e. Le … est un jus épais à base de fruits frais.

2. Répondez.

a. Quel dessert est préparé avec des meringues ?

b. Sur quel dessert met-on un coulis ?

c. Avec quoi sert-on des biscuits ?

2 Desserts de fête

 3. Écoutez l'enregistrement puis associez les mots suivants à la bûche de Noël ou à la galette des rois.

• *chocolat – pâte feuilletée – vin blanc moelleux – janvier – marrons glacés – fève – couronne – café – génoise – frangipane – champagne demi-sec*

La bûche de Noël

La galette des rois

... LES DESSERTS

3 Les macarons

 4. Écoutez et répondez.

Hélène Pierret répond aux auditeurs de « Cuisine de chef ».

a. Comment obtenir des macarons bien lisses ?

b. Comment ne pas casser les macarons ?

c. Comment faire un beau caramel ?

Fiche cuisine

Les macarons

Les macarons sont des petits gâteaux ronds, parfumés au chocolat, à la pistache, à la vanille, à la framboise...

Ingrédients (40 macarons)
- 125 g de poudre d'amandes
- 250 g de sucre glace

Pour la meringue
- 3 blancs d'œufs
- 30 g de sucre semoule

Crème
- 100 g de crème au beurre

Préparation
- Préparez le mélange de base. Passez la poudre d'amande dans un four préchauffé à 50° (20 minutes).
- Tamisez le mélange poudre d'amande et sucre glace.
- Faites les meringues. Montez les blancs d'œufs en neige. Pour obtenir des macarons colorés, ajoutez du colorant alimentaire.
- Ajoutez la moitié du sucre semoule pendant le montage des œufs.
- Fouettez bien les blancs et ajoutez le reste du sucre.
- Incorporez peu à peu le mélange de base aux blancs d'œufs.

Tamiser

- Mélangez pour obtenir un appareil lisse.
- Avec une poche à douille, disposez l'appareil sur une plaque de cuisson recouverte de papier sulfurisé.
- Laissez les macarons sécher de 30 minutes à une heure à l'air libre.
- Faites cuire les macarons 10 minutes à 170° sans vapeur.
- Attendez que les macarons refroidissent pour les décoller.
- Fourrez les macarons avec une crème au beurre parfumée au café, au chocolat, à la pistache...

Une poche à douille

PROJET

Vous préparez des desserts pour fêter des anniversaires.

◆ En groupe, vous décidez les desserts que vous allez réaliser. Ils doivent être variés.

◆ Par deux, vous choisissez un type de dessert. Vous faites la liste des ingrédients. Puis vous réfléchissez aux techniques de réalisation

◆ Vous rédigez la fiche technique de fabrication. Vous présentez la fiche à vos camarades. Vous écoutez leurs remarques

◆ Vous réalisez les desserts.

Joyeux anniversaire !

1 Décrivez ces entremets : saveur, forme et texture.

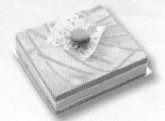
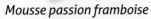

Mousse passion framboise

Tarte au citron meringuée

Trio de glace à la vanille

Nougat glacé

2 Écoutez et complétez la composition du dessert.

a. Tarte ... ; parfait ...
b. Sorbet ...
c. Crème ...
d. Gratin ... ; soufflé ...

3 Associez.

un appareil • • un jus
clarifier • • un mélange d'ingrédients
monter • • les blancs et les jaunes d'œufs
un coulis • • sucré ou salé
des petits fours • • un fouet

4 Complétez avec *qui* ou *que*.

a. Les fruits ... font du jus ne conviennent pas pour une tarte.
b. La charlotte aux fraises ... tu as préparée est délicieuse.
c. La chantilly ... tu prépares est trop sucrée.
d. Le pâtissier ... est venu est très connu.
e. Le dessert ... nous sommes en train de réaliser est à base de chocolat.
f. Les fruits confits ... sont dans la réserve sont à consommer avant vendredi.

5 Ces phrases sont-elles vraies ou fausses ?

	Vrai	Faux
a. Il y a des risques d'infection alimentaire avec les crèmes aux œufs.	❑	❑
b. Les sorbets doivent être conservés au congélateur.	❑	❑
c. Cuisinez avec du chocolat au lait, il est moins sucré que le chocolat noir.	❑	❑
d. La température de conservation des crèmes aux œufs est de 4° maximum.	❑	❑
e. Incorporez du beurre dans l'appareil à meringue.	❑	❑
f. La galette des rois est fourrée avec de la crème au beurre.	❑	❑

6 Mettez ces phrases au passé composé.

a. Jean (*aller*) au restaurant.
b. Nous (*garnir*) les macarons.
c. Alice et Pierre (*avoir*) des compliments.
d. Je (*ne pas pouvoir*) finir le bavarois.
e. Vous (*faire*) la crème au beurre ?
f. Elles (*venir*) du Japon pour apprendre la pâtisserie.
g. Vous (ne pas *mettre*) assez de sucre.
h. Camille (*manger*) beaucoup de chocolat et elle (*être*) malade.

7 Complétez avec un pronom personnel complément.

• *me – t' – leur – vous – lui*

a. Ces apprentis sont nouveaux. Tu dois mieux ... expliquer cette recette.
b. Monsieur, le chef ... conseille la crème brûlée.
c. Tu ne sais pas faire ce dessert ? Appelle Arthur et demande-... de ...'aider !
d. C'est l'anniversaire de Marie. Les pâtissiers ... ont préparé une charlotte aux fraises.
e. J'ai beaucoup de travail et tu ... demandes de l'aide ! Non, je n'ai pas le temps.

8 Proposez un dessert pour chacune des occasions suivantes. Justifiez vos choix.

a. Un mariage en été.
b. Un repas d'affaire en hiver.
c. Un dessert du jour en automne

UNITÉ 10
À la carte

Au menu

❑ Comprendre et composer une carte

❑ Comprendre des notions de diététique

❑ Exprimer le temps

❑ Communiquer avec la brigade de restaurant

❑ Passer une commande à un fournisseur

Plat du jour

❑ Filets de sole bonne-femme

Et pour finir...

❑ Vous composez un menu français.

Culture gastronomique

❑ Les grands chefs

Dans quelle partie du menu trouve-t-on ces plats ?

1 La carte du restaurant

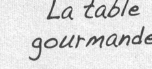

La table gourmande

■ **Entrées**
- *Œufs mimosa au thon en verrines* — 5,50 €
- *Salade gourmande au jambon cru et foie gras* — 9,50 €
- *Tarte fine aux légumes d'été* — 7 €
- *Noix de Saint-Jacques gratinées* — 11 €

■ **Les plats**

Poissons
- *Escalope de saumon, tagliatelles à l'estragon* — 15,50 €
- *Filet de cabillaud à la moutarde et pommes de terre* — 17,00 €

Viandes
- *Entrecôte de bœuf aux échalotes* — 17 €
- *Blanquette de veau à l'ancienne* — 18,50 €

Plat du jour
- *Canard à l'orange* — 19,50 €
  — 6 €

■ **Desserts**
- *Assiette de fromages (sélection locale)*
- *Crème brûlée à la vanille*
- *Tarte Tatin maison*
- *Mousse au chocolat noir*

1. Complétez la carte avec des plats que vous connaissez.

2. Écoutez le dialogue et répondez.
- **a.** Quel plat conseille le commis de salle ?
- **b.** Comment est la mousse au chocolat ?
- **c.** Que choisit le client ?

3. Recomposez la carte du restaurant.

- *Filets de sole et tomates confites*
- *Côtelettes d'agneau marinées à la grecque*
- *Tarte maison aux fruits de saison*
- *Salade d'endives au saumon et fenouil*
- *Bœuf bourguignon aux champignons frais*
- *Mille feuille croquant chocolat praliné*
- *Velouté d'asperges au basilic et à la crème*
- *Sardines grillées, pommes de terre mijotées et tomates*
- *Crème brûlée à la menthe*
- *Tartare de thon frais aux agrumes*

Viandes | Desserts | Poissons
Entrées froides | Entrées chaudes

RECETTE DE GRAMMAIRE

Le conditionnel

■ Il sert à exprimer le souhait, la politesse ou une action possible. Il se forme sur le radical du futur.

Vouloir

je voudr**ais**	nous voudr**ions**
tu voudr**ais**	vous voudr**iez**
il/elle/on voudr**ait**	ils/elles voudr**aient**

➡ Tableaux de conjugaison p. 98.

1 Mettez au conditionnel.

- **a.** Ils *(aimer)* goûter les langoustines.
- **b.** Tu *(devoir)* mettre moins de piment dans la sauce.
- **c.** Vous *(être)* d'accord pour travailler le dimanche ?
- **d.** Nous *(avoir)* une question à poser au chef.

Les mots pour

Les saveurs
- Sucré ≠ Salé
- Acide
- Amer

2 Les saveurs

4. Quelle est la saveur des aliments ci-dessous ?
- *le citron – la framboise – la charcuterie – le café – le raisin – le fromage – le pamplemousse – le chocolat – la pomme verte – la pastèque*

5. Retrouvez un plat aigre-doux dans la carte de *La table gourmande*.

2. UNE ALIMENTATION ÉQUILIBRÉE

1 **L'assiette idéale**

1. Observez l'illustration. Quelle est
   la composition de l'assiette idéale ?

2. Proposez une assiette idéale
   avec des aliments de votre pays.

Pain

Eau

Produits laitiers

Fruits

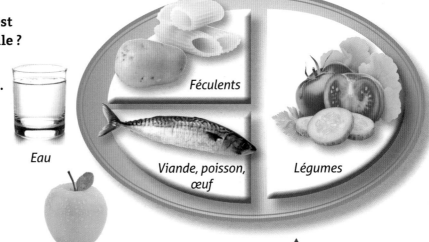

Féculents

Viande, poisson, œuf

Légumes

2 **Les apports nutritionnels**

 3. Écoutez les conseils de la diététicienne et répondez.

    a. Quel est l'apport énergétique pour un homme ? Et pour une femme ?

    b. Quels sont les nutriments essentiels ?

    c. Dans une alimentation équilibrée, quel est le pourcentage
    des différents nutriments ?

4. Observez la pyramide alimentaire. Quels sont
   les aliments à consommer ? Quels sont les aliments
   à éviter ?

5. Lisez le tableau et répondez.

    a. Quels aliments contiennent beaucoup de calories ?

    b. Quels aliments contiennent peu de calories ?

    c. Quels aliments contiennent beaucoup de protéines ?

    d. Quels aliments ont des valeurs nutritionnelles équilibrées ?

    e. Quels aliments n'ont pas des valeurs nutritionnelles équilibrées ?

Valeurs nutritionnelles (teneur moyenne pour 100 g)				
Aliments	**Calories (Kcal)**	**Protéines**	**Glucides**	**Lipides**
Bœuf (filet)	117	21,6	0	3,3
Brie (fromage)	340	19,6	2,2	27,9
Chocolat noir	572	9,25	33,3	41,9
Fraises	28,5	0,75	4	0,2
Jambon cuit	121	17,9	1,7	4,9
Pain (baguette)	283	9,33	56,6	1,47
Riz complet	353	6,85	73,3	2,8
Thon cru	136	23,7	0	4,6

6. Imaginez un menu équilibré. Affichez
   vos propositions au tableau, justifiez-les
   et commentez celles des autres.

1 L'emploi du temps

1. Lisez l'emploi du temps

10 h 15	Prise de service
10 h 30	Réception des livraisons
11 h-12 h	Mise en place
12 h- 14 h 30	Service
14 h 30-15 h 30	Nettoyage et rangement
15 h 45	Commandes
16 h	Fin du service

Les mots pour

Dire l'heure
- 11 h : onze heures
- 11 h 10 : onze heures dix
- 12 h : midi
- 15 h 15 : quinze heures quinze / trois heures et quart
- 15 h 30 : quinze heures trente / trois heures et demie
- 17 h 45 : dix-sept heures quarante-cinq / six heures moins le quart
- 24 h : minuit

2. Donnez l'emploi du temps d'une de vos journées.

2 Phonétique

3. Écoutez. Quelle heure entendez-vous ?

a. Deux heures / Douze heures
b. Une heure / Onze heure
c. Sept heures / Seize heures
d. Trois heures / Treize heures
e. Six heures / Seize heures
f. Dix heures / Six heures

RECETTE DE GRAMMAIRE

Impératif et pronom complément

- À l'impératif, le pronom complément se place après le verbe.
  - *prends-le ; dépêchons-nous ; expliquez-leur ; achetez-en*
- À la forme négative, le pronom complément se place avant le verbe.
  - *ne le prends pas ; ne lui disons rien ; n'en rajoutez plus*

---

1 Mettez les phrases à l'impératif.

- *Vous devez les conseiller. → Conseillez-les.*
a. Tu dois te dépêcher.
b. Tu dois en ajouter.
c. Nous ne pouvons pas les prendre.
d. Vous ne devez pas la finir.
e. Nous devons leur demander.

3 Les procédures d'annonce

4. Écoutez l'enregistrement et répondez.

a. Conversation 1 : quelles sont les entrées ?
b. Conversation 2 : à qui le commis doit-il demander le plat ?
c. Conversation 3 : comment est préparée la truite ?
d. Conversation 4 : quel plat n'est pas prêt ? Pourquoi ?

5. Associez.

Chef	•	• J'emporte le plat en salle.
À suivre	•	• Je lance la préparation ou la cuisson.
Je réclame	•	• J'indique les plats suivants.
Faites marcher	•	• J'attire l'attention.
J'enlève	•	• Je demande un plat.

J'enlève !

6. Formez des groupes de trois. Dans chaque groupe, chacun choisit un rôle : client, chef de rang ou second. Jouez la scène d'une commande et de l'annonce des plats en cuisine. Vous pouvez utiliser le menu de la page 88.

Zoom sur...

LES COMMANDES

1 L'approvisionnement

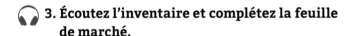

Fruits-Légumes Express

La fraîcheur à votre service !!!
Offre promotionnelle

Nos offres spéciales
pour le mois de juin :

Pêches jaunes : 1,30 € le kg

Melon : 2 € l'unité

Abricots : 12 € la cagette de 5 kg soit 2,40 € le kg

Fraises : 2,50 € la barquette de 500 g soit 5 € le kg

Tomates (moyennes) : 1,93 le kg (cagette de 1 kg)

Oignons : 0,88 € le kilo (vendu par 2,5 kg)

Haricots verts : 5,10 € le kg (barquettes de 500 g)

Renseignez-vous sur nos autres promotions !

🎧 **3. Écoutez l'inventaire et complétez la feuille de marché.**

Feuille de marché 17/06/2014		
Denrées	**Unités**	**Commande**
Viandes …	kg	…
Poissons …	kg	…
Œufs …	Pièces	…
Légumes …	kg	…
Fruits …	kg	…

2 Phonétique

🎧 **4. Lisez les phrases. Barrez les [r] non prononcés, puis écoutez l'enregistrement.**

a. Les trois derniers jours.

b. Mercredi 20 septembre.

c. Rapporte-leur la carte.

d. Ranger le beurre dans le réfrigérateur.

e. Il faudra encore dresser la crème.

f. Le pâtissier veut nettoyer son tablier.

1. Lisez le document et répondez. Les phrases sont-elles vraies ou fausses ? Justifiez vos réponses.

	Vrai	Faux
a. Une offre promotionnelle : c'est des prix intéressants.	❑	❑
b. Cette offre promotionnelle est valable pour tout l'été.	❑	❑
c. Il n'y a pas d'autres produits en promotion.	❑	❑
d. Les melons sont vendus à l'unité.	❑	❑

2. Lisez le menu du *Bistrot des Artistes* et passez la commande des fruits et légumes nécessaires.

Le Bistrot des Artistes

Menu de la semaine

• Salade niçoise
• Cocktail de crevettes aux agrumes

• Anguille poêlée à l'ail et haricots verts
• Bavette de bœuf et pommes de terre croustillantes

• Poires Belle-Hélène
• Bavarois aux fruits jaunes

Les mots pour

Exprimer le temps
• Avant-hier
• Aujourd'hui
• Demain
• Après-demain
• La semaine dernière ≠ La semaine prochaine
• Lundi dernier ≠ Lundi prochain
• Maintenant = Tout de suite
• Plus tard = Tout à l'heure

1 À la carte

1. Observez les images et retrouvez le nom de chaque plat.

*omelette aux lardons – escalope de dinde et pommes de terre frites – lapin à la moutarde
et aux champignons – filet de Saint-Pierre et chou vert – quiche au saumon – croque-monsieur*

2. Associez les plats au restaurant qui correspond.

Une cafétéria   •   • Croque-monsieur

Une boulangerie   •   • Omelette aux lardons

Un bistrot   •   • Escalope de dinde et frites

Un snack-bar   •   • Lapin à la moutarde

Une brasserie   •   • Filet de Saint Pierre poché

Un restaurant gastronomique   •   • Quiche au saumon

3. Lisez la description du restaurant et répondez.

a. Quels sont les points forts de ce restaurant ?

b. Avez-vous envie de déjeuner dans ce restaurant ? Justifiez.

c. Quel type de restaurant préférez-vous ?

> ***Les jardins de Loyan**, à Mâcon*
> Restaurant situé sur les bords de la Saône,
> dans un vaste parc de verdure. Grande terrasse.
> Ambiance calme dans un cadre exceptionnel.
> Cuisine à base de produits frais et produits régionaux.
> **Spécialités :** foie gras mi cuit aux épices douces ;
> carpe et son bouillon aux herbes ; soufflé glacé
> au marc de Bourgogne.

4. Écoutez l'enregistrement et répondez.

Marianne Surtin, chef du restaurant Le Saint-Jacques *nous parle de la composition d'une carte.*

a. Pourquoi la présentation de la carte est-elle importante ?

b. Quels sont les deux principes importants d'une carte ?

5. Ces phrases sont-elles vraie ou fausses ? Justifiez vos réponses.

	Vrai	Faux
a. Le menu doit varier autour des produits de saison.	❏	❏
b. L'organisation de la carte doit être simple.	❏	❏
c. Il faut proposer beaucoup de plats.	❏	❏
d. Il faut proposer plus d'entrées que de plats principaux.	❏	❏
e. Les clients aiment les noms de plats compliqués.	❏	❏

Fiche cuisine

Filets de sole bonne-femme

Ingrédients (pour 4 personnes) :
- 8 filets de sole
- 100 g de champignons de paris
- 20 g de persil haché
- 20 g d'échalotes
- sel et poivre
- 5 cl de vin blanc
- 4 dl de fumet de poisson
- 1/4 l de crème fraîche liquide
- 80 g de beurre

Préparation
- Épluchez, lavez et émincez les champignons et les échalotes.
- Aplatissez légèrement les filets de sole avec un couteau à lame large. Faites une incision dans chaque filet. Salez, poivrez.
- Beurrez un plat allant au four. Disposez les échalotes, le persil haché et les champignons.
- Mettez les filets de sole dans le plat, côte à côte. Mouillez avec le vin blanc et le fumet de poisson. Recouvrez avec une feuille de papier sulfurisé beurrée.
- Mettez sur le feu. Terminez la cuisson au four 6 à 8 minutes, à 170°. Réservez les filets.
- Faites réduire le fond de cuisson. Ajoutez la crème et faites réduire de moitié. Incorporez ensuite 60 g de beurre.
- Vérifiez l'assaisonnement et dressez les filets sur un plat, avec la garniture. Nappez avec la sauce et passez quelques secondes sous le gril du four.

PROJET

Vous composez puis vous réalisez un menu français.

- Par groupes, vous imaginez un menu à base de plats français. Vous illustrez vos propositions.
- Vous mettez en commun vos propositions de menu. Vous décidez en commun d'un seul menu. Il doit être équilibré.
- Vous réalisez ensuite les différents plats par groupes.
- Dégustez ensemble ce menu pour fêter la fin de l'année !

Découvrir le monde de la gastronomie

LES GUIDES GASTRONOMIQUES

Le **Guide Michelin** (on l'appelle aussi le Guide rouge) est un guide gastronomique français très célèbre. Le premier Guide Michelin paraît en 1900. Depuis, on a vendu plus de 30 millions d'exemplaires de ce guide ! Chaque année, une nouvelle édition du Guide est imprimée. Au départ, le Guide Michelin est un guide de voyages avec des indications de restaurants. Aujourd'hui, c'est un véritable annuaire gastronomique.

Les restaurants sont notés avec des étoiles : de 1 à 3 étoiles. En France, il y a 27 restaurants 3 étoiles. Le Guide Michelin existe maintenant dans 23 pays. Le pays le plus étoilé est le Japon, avec 32 restaurants 3 étoiles !

Le guide **Gault et Millau** est créé en 1972 par deux journalistes et critiques gastronomiques, Henri Gault et Christian Millau. Les deux critiques ne s'intéressent pas beaucoup à la cuisine traditionnelle. Ils recherchent de nouvelles tendances. Ils préfèrent l'innovation. Ils sont spécialistes de la « nouvelle cuisine ».

Les restaurants sont notés avec des toques, jusqu'à 5 toques. Aujourd'hui 16 restaurants français ont 5 toques ! Le Gault et Millau récompense également, chaque année, le cuisinier de l'année.

Le classement du Guide Michelin et le classement du Gault et Millau ne sont pas toujours identiques. Les deux guides n'ont pas la même conception de la gastronomie.

1. **Quelle tendance gastronomique préfère chacun des guides ?**
2. **Est-ce qu'il y a des restaurants 3 étoiles dans votre pays ?**
3. **Selon vous, est-ce qu'un bon restaurant est obligatoirement un restaurant étoilé ?**
4. **Donnez des critères pour juger un restaurant.**

Portraits de grands chefs français

Paul Bocuse

Paul Bocuse est un chef français connu dans le monde entier. Dans les années 60, il transforme l'auberge de famille en un prestigieux restaurant : *L'Auberge du Pont de Collonges*. En 1965, il obtient 3 étoiles. Il n'a jamais perdu ses 3 étoiles depuis cette date. Paul Bocuse s'intéresse autant à la cuisine traditionnelle qu'à la « nouvelle cuisine ».

Paul Bocuse a créé une école de gastronomie (l'Institut Paul Bocuse) et un concours mondial de cuisine (les Bocuse d'Or).

★ Une spécialité : la soupe aux truffes noires.

Joël Robuchon

Joël Robuchon obtient d'abord le titre de « meilleur ouvrier de France ». Puis en 1981, il ouvre son premier restaurant. En 1996, il reçoit le titre de « cuisinier du siècle ». Dans les années 1990, il s'intéresse au Japon et il exporte la gastronomie française dans ce pays. Il rapporte une idée du Japon : l'atelier. Les clients peuvent assister pendant le repas à la préparation des plats en cuisine.

En 2013, il totalise 28 étoiles au Guide Michelin pour l'ensemble de ses restaurants. C'est le chef le plus étoilé au monde !

★ Une spécialité : la purée de pommes de terre en garniture.

Alain Ducasse

Alain Ducasse est le premier chef à obtenir 3 étoiles pour 3 restaurants différents : le *Louis XV* à Monaco, le *Plaza Athénée* à Paris et l'*Essex House* à New York. C'est un chef un peu particulier. Il n'est plus aux fourneaux de ses restaurants depuis longtemps. Il décide l'orientation de ses différents restaurants et il sélectionne des chefs talentueux pour les cuisines. Il dirige un très grand groupe gastronomique avec des restaurants partout dans le monde.

★ Une spécialité : l'utilisation de la cookpot (ustensile de cuisson ; cookpot de pommes, crème épaisse).

Marc Veyrat

Marc Veyrat est un chef français très original. Il porte toujours un large chapeau noir. Dans son dernier restaurant, *La Maison des bois*, situé en Savoie, il propose une cuisine biologique, proche de la nature. Il utilise des plantes aromatiques des Alpes. Il s'intéresse à la qualité de l'alimentation. Il possède des camions de restauration rapide qui servent des plats de chef !

★ Une spécialité : le feuilleté de légumes oubliés du XXIᵉ siècle.

Anne Sophie Pic

Il y a très peu de femmes parmi les grands chefs en France et à l'étranger. Anne-Sophie Pic a réussi ce challenge ! À la mort de son père, un grand chef étoilé, elle reprend le restaurant familial. Elle maintient la qualité de la cuisine et elle conserve les 3 étoiles. Et pour la première fois en 2007, une femme est élue « chef de l'année » ! Sa cuisine apporte une sensibilité féminine dans un univers professionnel très masculin.

★ Une spécialité : la betterave plurielle (textures fondantes et crémeuse de betteraves jaunes au café blue mountain).

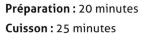

1. Quel chef vous semble traditionnel ? Quel chef trouvez-vous original ?
2. Quel grand chef vous préférez ? Pourquoi ?
3. Connaissez-vous d'autres grands chefs français ? Faites des recherches.

Une recette digne d'un grand chef

Risotto à la truffe noire et Saint-Jacques poêlées

Préparation : 20 minutes

Cuisson : 25 minutes

Ingrédients (pour 4 personnes)
- 150 g de riz par personne (variéte arborio)
- 10 cl de vin blanc
- 1 oignon émincé
- 1 L de bouillon de légumes
- 2 petites truffes noires émincées
- 70 g de parmesan râpé
- 8 belles Saint-Jacques fraîches (sans corail)
- Une noix de beurre

Préparation
– Émincez l'oignon, puis faites suer dans une grande casserole avec un peu d'huile d'olive.
– Ajoutez le riz. Faites-le nacrer 1 à 2 minutes. Les grains doivent être translucides.
– Déglacez avec le vin blanc. Mélangez bien et laissez le liquide s'évaporer.
– Mouillez avec un peu de bouillon de légumes chaud. Laissez cuire à feu doux pendant environ 15-20 minutes. Ajoutez le bouillon petit à petit.
– 2 minutes avant la fin de la cuisson, ajoutez le parmesan, le beurre et la truffe.
– Rincez les noix de Saint-Jacques sous l'eau froide. Égouttez-les bien, puis poivrez.
– Quand le risotto est prêt, faites chauffer un peu de beurre dans une poêle. Faites cuire les Saint-Jacques 30 secondes sur chaque face. Dressez les noix de Saint-Jacques sur le risotto.

1 Mettez le verbe à l'impératif à la personne indiquée entre parenthèses et remplacez le mot en gras par un pronom personnel.
- *Égoutter le riz (tu)* → *Égoutte-le.*

a. Enlever **les desserts** (vous)

b. Ne pas poser **le couvercle** ici (tu)

c. Verser **du lait** dans la calotte (vous)

d. Mettre **les œufs** au frigo (tu)

e. Apporter les ingrédients **aux commis** (vous)

f. Ne pas passer **la sauce** au chinois maintenant (tu)

2 Écoutez et complétez le planning de la journée

...	Mise en place du poste de travail
...	Préparer des légumes
...	Brider le poulet
...	Marquer le poulet en cuisson
...	Réaliser de la sauce
...	Dresser le poulet

3 Conjuguez au conditionnel.

a. Je (*proposer*) une purée de céleri pour accompagner ce poisson.

b. Tu (*pouvoir*) préparer la sauce tartare ?

c. Nous (*être*) très heureux de vous accueillir.

d. Vous (*avoir*) le temps de dresser les desserts ?

e. Les commandes (*devoir*) déjà être terminées.

4 Mettez de l'ordre dans la carte du restaurant.
- Entrecôte d'agneau sauce roquefort
- Soufflé glacé au pamplemousse
- Salade de poulpe et pommes de terre
- Foie gras poêlé sur pain d'épice
- Crème brûlée à la liqueur de noix
- Daurade en croûte de sel

5 Décrivez la texture et la saveur de ces plats.

La daurade en croûte de sel

La crème brûlée

Le soufflé glacé à la framboise

6 Indiquez le principal nutriment pour chaque aliment.

Aliments	Protéines	Glucides	Lipides
Foie gras			
Pommes de terre			
Daurade au sel			
Entrecôte d'agneau			
Mousse au chocolat			
Crème brûlée			

7 Donnez le planning de la semaine à vos camarades.

DÉCEMBRE		
Vendredi 20	**Samedi 21**	**Dimanche 22**
Fin des réservations pour réveillon de Noël.	Inventaire et commandes des fruits et légumes, des viandes et poissons.	Explications des plats à la brigade de restaurant. Révision carte des vins.

Lundi 23	**Mardi 24**	**Mercredi 25**	**Jeudi 26**
Préparations froides + sauces.	Mise en place salle + repas réveillon de Noël.	Fermeture	Établir menu pour réveillon jour de l'an.

8 Écoutez. Indiquez qui parle et notez le plat.

	Commis de salle	Chef	PLAT
a.			
b.			
c.			
d.			
e.			
f.			

9 Écrivez un message à votre fournisseur de poissons et de fruits de mer
- Vous commandez : 5 kilos de saumon, 7 kilos de thon, 10 kilos de sardines, 50 filets de soles et 20 tranches d'espadon.
- Vous vous informez sur les fruits de mer.
- Vous demandez des précisions sur les prix.

Annexes

Annexes

Les auxiliaires

	Présent	Passé composé	Futur	Conditionnel	Impératif
avoir	j'ai tu as il a nous avons vous avez ils ont	j'ai eu tu as eu il a eu nous avons eu vous avez eu ils ont eu	j'aurai tu auras il aura nous aurons vous aurez ils auront	j'aurais tu aurais il aurait nous aurions vous auriez ils auraient	aie ayons ayez
être	je suis tu es il est nous sommes vous êtes ils sont	j'ai été tu as été il a été nous avons été vous avez été ils ont été	je serai tu seras il sera nous serons vous serez ils seront	je serais tu serais il serait nous serions vous seriez ils seraient	sois soyons soyez

Verbes réguliers

	Présent	Passé composé	Futur	Conditionnel	Impératif
cuisiner (1er groupe)	je cuisine tu cuisines il cuisine nous cuisinons vous cuisinez ils cuisinent	j'ai cuisiné tu as cuisiné il a cuisiné nous avons cuisiné vous avez cuisiné ils ont cuisiné	je cuisinerai tu cuisineras il cuisinera nous cuisinerons vous cuisinerez ils cuisineront	je cuisinerais tu cuisinerais il cuisinerait nous cuisinerions vous cuisineriez ils cuisineraient	cuisine cuisinons cuisinez
finir (2e groupe)	je finis tu finis il finit nous finissons vous finissez ils finissent	j'ai fini tu as fini il a fini nous avons fini vous avez fini ils ont fini	je finirai tu finiras il finira nous finirons vous finirez ils finiront	je finirais tu finirais il finirait nous finirions vous finiriez ils finiraient	finis finissons finissez

Verbes irréguliers terminés en –ir

	Présent	Passé composé	Futur	Conditionnel	Impératif
sentir	je sens tu sens il sent nous sentons vous sentez ils sentent	j'ai senti tu as senti il a senti nous avons senti vous avez senti ils ont senti	je sentirai tu sentiras il sentira nous sentirons vous sentirez ils sentiront	je sentirais tu sentirais il sentirait nous sentirions vous sentiriez ils sentiraient	sens sentons sentez
servir	je sers tu sers il sert nous servons vous servez ils servent	j'ai servi tu as servi il a servi nous avons servi vous avez servi ils ont servi	je servirai tu serviras il servira nous servirons vous servirez ils serviront	je servirais tu servirais il servirait nous servirions vous serviriez ils serviraient	sers servons servez

	Présent	Passé composé	Futur	Conditionnel	Impératif
sortir	je sors tu sors il sort nous sortons vous sortez ils sortent	j'ai sorti tu as sorti il a sorti nous avons sorti vous avez sorti ils ont sorti	je sortirai tu sortiras il sortira nous sortirons vous sortirez ils sortiront	je sortirais tu sortirais il sortirait nous sortirions vous sortiriez ils sortiraient	sors sortons sortez
venir	je viens tu viens il vient nous venons vous venez ils viennent	je suis venu(e) tu es venu(e) il/elle est venu(e) nous sommes venu(e)s vous êtes venu(e)s ils/elles sont venu(e)s	je viendrai tu viendras il viendra nous viendrons vous viendrez ils viendront	je viendrais tu viendrais il viendrait nous viendrions vous viendriez ils viendraient	viens venons venez

Verbes irréguliers terminés en –oir

	Présent	Passé composé	Futur	Conditionnel	Impératif
devoir	je dois tu dois il doit nous devons vous devez ils doivent	j'ai dû tu as dû il a dû nous avons dû vous avez dû ils ont dû	je devrai tu devras il devra nous devrons vous devrez ils devront	je devrais tu devrais il devrait nous devrions vous devriez ils devraient	–
falloir	il faut	il a fallu	il faudra	il faudrait	–
pouvoir	je peux tu peux il peut nous pouvons vous pouvez ils peuvent	j'ai pu tu as pu il a pu nous avons pu vous avez pu ils ont pu	je pourrai tu pourras il pourra nous pourrons vous pourrez ils pourront	je pourrais tu pourrais il pourrait nous pourrions vous pourriez ils pourraient	–
savoir	je sais tu sais il sait nous savons vous savez ils savent	j'ai su tu as su il a su nous avons su vous avez su ils ont su	je saurai tu sauras il saura nous saurons vous saurez ils sauront	je saurais tu saurais il saurait nous saurions vous sauriez ils sauraient	sache sachons sachez
voir	je vois tu vois il voit nous voyons vous voyez ils voient	j'ai vu tu as vu il a vu nous avons vu vous avez vu ils ont vu	je verrai tu verras il verra nous verrons vous verrez ils verront	je verrais tu verrais il verrait nous verrions vous verriez ils verraient	vois voyons voyez
vouloir	je veux tu veux il veut nous voulons vous voulez ils veulent	j'ai voulu tu as voulu il a voulu nous avons voulu vous avez voulu ils ont voulu	je voudrai tu voudras il voudra nous voudrons vous voudrez ils voudront	je voudrais tu voudrais il voudrait nous voudrions vous voudriez ils voudraient	veuillez

Annexes

Verbes irréguliers terminés en *–re*

	Présent	Passé composé	Futur	Conditionnel	Impératif
attendre	j'attends tu attends il attend nous attendons vous attendez ils attendent	j'ai attendu tu as attendu il a attendu nous avons attendu vous avez attendu ils ont attendu	j'attendrai tu attendras il attendra nous attendrons vous attendrez ils attendront	j'attendrais tu attendrais il attendrait nous attendrions vous attendriez ils attendraient	attends attendons attendez
boire	je bois tu bois il boit nous buvons vous buvez ils boivent	j'ai bu tu as bu il a bu nous avons bu vous avez bu ils ont bu	je boirai tu boiras il boira nous boirons vous boirez ils boiront	je boirais tu boirais il boirait nous boirions vous boiriez ils boiraient	bois buvons buvez
connaître	je connais tu connais il connaît nous connaissons vous connaissez ils connaissent	j'ai connu tu as connu il a connu nous avons connu vous avez connu ils ont connu	je connaîtrai tu connaîtras il connaîtra nous connaîtrons vous connaîtrez ils connaîtront	je connaîtrais tu connaîtrais il connaîtrait nous connaîtrions vous connaîtriez ils connaîtraient	connais connaissons connaissez
croire	je crois tu crois il croit nous croyons vous croyez ils croient	j'ai cru tu as cru il a cru nous avons cru vous avez cru ils ont cru	je croirai tu croiras il croira nous croirons vous croirez ils croiront	je croirais tu croirais il croirait nous croirions vous croiriez ils croiraient	crois croyons croyez
cuire	je cuis tu cuis il cuit nous cuisons vous cuisez ils cuisent	j'ai cuit tu as cuit il a cuit nous avons cuit vous avez cuit ils ont cuit	je cuirai tu cuiras il cuira nous cuirons vous cuirez ils cuiront	je cuirais tu cuirais il cuirait nous cuirions vous cuiriez ils cuiraient	cuis cuisons cuisez
dire	je dis tu dis il dit nous disons vous dites ils disent	j'ai dit tu as dit il a dit nous avons dit vous avez dit ils ont dit	je dirai tu diras il dira nous dirons vous direz ils diront	je dirais tu dirais il dirait nous dirions vous diriez ils diraient	dis disons dites
faire	je fais tu fais il fait nous faisons vous faites ils font	j'ai fait tu as fait il a fait nous avons fait vous avez fait ils ont fait	je ferai tu feras il fera nous ferons vous ferez ils feront	je ferais tu ferais il ferait nous ferions vous feriez ils feraient	fais faisons faites
lire	je lis tu lis il lit nous lisons vous lisez ils lisent	j'ai lu tu as lu il a lu nous avons lu vous avez lu ils ont lu	je lirai tu liras il lira nous lirons vous lirez ils liront	je lirais tu lirais il lirait nous lirions vous liriez ils liraient	lis lisons lisez

	Présent	Passé composé	Futur	Conditionnel	Impératif
mettre	je mets tu mets il met nous mettons vous mettez ils mettent	j'ai mis tu as mis il a mis nous avons mis vous avez mis ils ont mis	je mettrai tu mettras il mettra nous mettrons vous mettrez ils mettront	je mettrais tu mettrais il mettrait nous mettrions vous mettriez ils mettraient	mets mettons mettez
rendre	je rends tu rends il rend nous rendons vous rendez ils rendent	j'ai rendu tu as rendu il a rendu nous avons rendu vous avez rendu ils ont rendu	je rendrai tu rendras il rendra nous rendrons vous rendrez ils rendront	je rendrais tu rendrais il rendrait nous rendrions vous rendriez ils rendraient	rends rendons rendez
vendre	je vends tu vends il vend nous vendons vous vendez ils vendent	j'ai vendu tu as vendu il a vendu nous avons vendu vous avez vendu ils ont vendu	je vendrai tu vendras il vendra nous vendrons vous vendrez ils vendront	je vendrais tu vendrais il vendrait nous vendrions vous vendriez ils vendraient	vends vendons vendez

Autres verbes irréguliers

	Présent	Passé composé	Futur	Conditionnel	Impératif
aller	je vais tu vas il va nous allons vous allez ils vont	je suis allé(e) tu es allé(e) il/elle est allé(e) nous sommes allé(e)s vous êtes allé(e)s ils/elles sont allé(e)s	j'irai tu iras il ira nous irons vous irez ils iront	j'irais tu irais il irait nous irions vous iriez ils iraient	va allons allez
appeler	j'appelle tu appelles il appelle nous appelons vous appelez ils appellent	j'ai appelé tu as appelé il a appelé nous avons appelé vous avez appelé ils ont appelé	j'appellerai tu appelleras il appellera nous appellerons vous appellerez ils appelleront	j'appellerais tu appellerais il appellerait nous appellerions vous appelleriez ils appelleraient	appelle appelons appelez
essuyer	j'essuie tu essuies il essuie nous essuyons vous essuyez ils essuient	j'ai essuyé tu as essuyé il a essuyé nous avons essuyé vous avez essuyé ils ont essuyé	j'essuierai tu essuieras il essuiera nous essuierons vous essuierez ils essuieront	j'essuierais tu essuierais il essuierait nous essuierions vous essuieriez ils essuieraient	essuie essuyons essuyez
nettoyer	je nettoie tu nettoies il nettoie nous nettoyons vous nettoyez ils nettoient	j'ai nettoyé tu as nettoyé il a nettoyé nous avons nettoyé vous avez nettoyé ils ont nettoyé	je nettoierai tu nettoieras il nettoiera nous nettoierons vous nettoierez ils nettoieront	je nettoierais tu nettoierais il nettoierait nous nettoierions vous nettoieriez ils nettoieraient	nettoie nettoyons nettoyez
préférer	je préfère tu préfères il préfère nous préférons vous préférez ils préfèrent	j'ai préféré tu as préféré il a préféré nous avons préféré vous avez préféré ils ont préféré	je préférerai tu préféreras il préférera nous préférerons vous préférerez ils préféreront	je préférerais tu préférerais il préférerait nous préférerions vous préféreriez ils préféreraient	préfère préférons préférez

Annexes

■ Les légumes

• Les légumes verts (➡ p. 11)
L'artichaut
L'asperge
L'aubergine
La betterave
Le brocoli
La carotte
Le céleri
Le chou
Le chou-fleur
Les choux de Bruxelles
Le concombre
Les blettes
La courge
La courgette
L'endive
Les épinards
Le fenouil
Les haricots
La laitue (batavia, romaine…)
Le maïs
Le navet
Les oignons
Le poireau
Les petits pois
Le poivron
La pomme de terre
Le radis
La tomate

• Les légumes secs (➡ p. 45)
Les amandes
Les châtaignes
Les haricots blancs ou rouges
Les lentilles
Les noisettes
Les noix
Les pignons de pin
Les pistaches
Les pois chiche
Les pruneaux
Les raisins secs

■ Les fruits
(➡ p. 29)

L'abricot
L'ananas
La banane
Le cassis
La cerise
Le citron
La clémentine
La datte
La figue
La fraise
La framboise
Le fruit de la passion
La grenade
La groseille
Le kaki
Le kiwi
La mandarine
La mangue
Le melon
La mûre
La myrtille
La nectarine / le brugnon
La noix de coco
L'orange
Le pamplemousse
La papaye
La pastèque
La pêche
La poire
La pomme
La prune
Le raisin

■ Les ingrédients de base
(➡ p. 37)

Le beurre (extra-fin, demi-sel)
La crème fraîche (liquide, épaisse)
La farine de blé / La farine de seigle
L'huile (de tournesol, de soja, de colza, d'olive…)
Le lait (entier, demi-écrémé)
La levure (chimique, de boulanger)
La margarine
Les œufs
Le sel (fin, gros)
Le sucre (en morceaux, semoule, de canne, glace)

■ Les viandes (➡ p. 62 et p. 65)

• Les viandes de boucherie
Le bœuf – le veau
Le mouton – l'agneau
Le porc
Le cheval
Le chevreuil

• Les volailles
La poule – le poulet
Le canard
L'oie
Le pigeon
La pintade
La caille

■ Les poissons – Les crustacés
(➡ p. 70-73)

• Les poissons
Les poissons d'eau douce
L'anguille
Le brochet
La carpe
Le sandre
La truite

Les poissons d'eau de mer
Le bar (ou le loup)
Le cabillaud (ou la morue)
Le colin
La daurade (ou la dorade)
L'espadon
La lotte
Le maquereau
Le merlan
Le rouget
Le Saint Pierre
Le saumon
La sole
Le thon
La sardine
Le turbot

• Les fruits de mer
Les crustacés
Le crabe
La crevette
L'écrevisse
La gambas
Le homard
La langouste
La langoustine

Les coquillages
La coquille Saint-Jacques
L'huître
La moule
La palourde

Les mollusques
Le calamar
Le poulpe
La seiche

■ Les herbes aromatiques
(➡ p. 63)

• Les fines herbes
L'aneth
Le basilic
Le cerfeuil
La ciboulette
La coriandre
L'estragon
Le laurier
La marjolaine
La menthe
L'origan
Le persil
Le romarin
La sauge
Le thym

• Les épices
L'anis
La cannelle
La cardamome
Le cumin
Le gingembre
La noix de muscade
Le piment
Le safran
Le sésame
La vanille

■ La brigade de cuisine (➡ p. 9)

Le chef
Le second

• Les chefs de partie
L'entremétier
Le garde-manger
Le pâtissier
Le poissonnier
Le rôtisseur
Le saucier
Les commis
Les apprentis

• La brigade de restaurant (➡ p. 36)
Le maître d'hôtel
Le chef de rang
Le commis de rang (ou de salle)
Le commis débarrasseur
Le sommelier
Le barman

■ Les locaux du restaurant et de la cuisine

• Le restaurant (➡ p. 16)
La terrasse
Le hall d'accueil
Le bar
La salle à manger
Les salons
Les toilettes
L'office
La lingerie
La réserve matériel et vaisselle
La cuisine
La cave

• La cuisine (➡ p. 18)
Les vestiaires du personnel (sanitaires, douches)
Le réfectoire du personnel
Le bureau du chef
La réserve ou l'économat
Les chambres froides (positives et négatives)
La légumerie
La boucherie
La poissonnerie
La zone de cuisson
Le garde-manger (zone de cuisine froide)
La pâtisserie
La plonge-batterie
La laverie
Le local à déchets

• Les équipements (➡ p. 19)
La friteuse (frire)
Le gril (griller)
Le fourneau (cuire)
La hotte aspirante (aspirer)
Le four (cuire)
La plaque à induction (cuire)
La rôtissoire (rôtir)
La sauteuse (sauter)
Le cuiseur à vapeur (cuire)
La salamandre (gratiner, réchauffer)

Le réfrigérateur (conserver)
La plonge (laver)
Le lave-vaisselle (laver)
Les étagères (ranger)
Les placards (ranger)
Les plans ou les tables de travail (préparer)

• Les appareils (➡ p. 34)
La balance
Le batteur-mélangeur
La bouilloire
La cafetière
La centrifugeuse
Le coupe-légumes
Le four à micro-ondes
Le grille-pain
Le hachoir à viande
Le mixeur
Le presse-citron (un presse-agrumes)
Le robot multifonction
La trancheuse universelle

■ La vaisselle (➡ p. 35)

• Les assiettes
L'assiette (plate, creuse, à pain)
La coupelle
La cloche

• Les verres
Le verre à pied (eau/vin)
La flûte
La coupe
Le gobelet

• Les tasses
La tasse
La soucoupe
Le bol
La coupe
La verrine
Le pot
Le ramequin

• Les couverts
Les couverts de table, à poisson, à dessert
La cuillère (à soupe, à café)
La fourchette
Le couteau
La pelle à tarte
La pince

• Les accessoires
La salière
La poivrière
Le beurrier
Le sucrier
La saucière
Le coquetier
La fromagère
La corbeille à pain
Le seau à bouteille

■ Le matériel de préparation et le matériel à débarrasser (➡ p. 47)

Le bac (transporter, refroidir, réchauffer)
Le bahut (débarrasser, transporter, réserver)
Le bain-marie (chauffer les sauces, les potages)
La bassine (laver, préparer, réserver)
La calotte (préparer)
La plaque à débarrasser (éplucher, transporter)

■ Le matériel de cuisson (➡ p. 52)

• Pour toutes les denrées
La casserole ou **la russe** : cuire les aliments dans un liquide.
La marmite : cuire les légumes, le riz, les pâtes.
La poêle : cuire, sauter et frire les aliments.
Le rondeau (ou marmite basse) : préparer les veloutés et les sauces. Cuire lentement les ragoûts.
La sauteuse : préparer les viandes et les légumes sautés. Préparer les sauces. Étuver les légumes.
Le couvercle

• Pour la viande :
Le plat à rôtir : rôtir les viandes et les volailles.
La braisière : braiser, poêler les viandes.
Le sautoir : réaliser les viandes sautées.

• Pour le poisson
La turbotière : pocher ou braiser les poissons plats
La poissonnière : pocher ou braiser les poissons longs
La plaque à poisson : pocher les poissons

■ Les couteaux et le petit matériel

• Pour les fruits et légumes
Le couteau d'office
Le couteau canneleur
Le couteau économe
Le dénoyauteur
Le hachoir
La louche
La mandoline
La passoire
La planche à découper
Le vide-pomme

• Pour les viandes
L'aiguille à brider
Le chinois étamine (sauces)

Annexes

■ Le matériel pour la pâtisserie

Le fouet
Le moule à mini
Le moule à tarte
La pipette
La poche à douille
Le rouleau à pâte
Le roulette à pâte
La spatule

■ Le matériel pour le poisson

Le couteau écailleur
Le ciseau à poissons

■ Préparer les denrées

• Tailler les légumes (➞ p. 46)
Couper/tailler/détailler
Ciseler (persil, basilic, fenouil, oignons)
Concasser (tomates)
Émincer (oignons, carottes, champignons)
Hacher (persil, ail)
Parer (artichaut, carottes).
Tourner (pommes de terres)

• Préparer les fruits et les légumes (➞ p. 30 et p. 44)
Canneler (courgettes, citrons)
Dénoyauter (cerises, abricots)
Détailler (tomates)
Épépiner (melon, aubergines)
Équeuter (fraises, haricots)
Lever des segments (oranges)
Mixer
Peler (pommes, poires)
Monder (tomates, poivrons)
Décortiquer (noisettes, amandes)
Casser (noix)
Effiler (blettes, céleri)
Écosser (petits pois)

• Préparer les viandes et les sauces (➞ p. 65-66)
Brider une volaille
Dégraisser
Déglacer (les sucs)
Désosser
Escaloper
Habiller une volaille
Passer au chinois (le fond, la sauce, le jus)
Réduire (un fond, une sauce)

• Préparer les poissons (➞ p. 70)
Dégorger
Ébarber
Écailler
Habiller les poissons
Lever des filets
Plaquer les filets (pour le court-mouillement)
Vider

• Préparer les desserts (➞ p. 38-39 et p. 80)
Abaisser (la pâte)
Blanchir (les œufs)
Clarifier (les œufs)
Délayer (la farine)
Foncer (le moule)
Fraiser (la pâte)
Incorporer (le beurre)
Monter (la crème)
Piquer (les fonds)

■ Les cuissons (➞ p. 53)

• Les pré-cuissons
Blanchir : faire bouillir (départ liquide froid : viandes /départ liquide chaud : légumes).
Blondir : faire colorer légèrement un aliment.
Bouillir : porter l'eau à ébullition.
Rissoler (faire revenir) : faire sauter un aliment dans du beurre ou de l'huile en le colorant.
Suer : cuire doucement à découvert dans du beurre ou de l'huile un légume pour éliminer l'eau.

• Les cuissons
Braiser : cuire lentement avec peu de liquide (viandes).
Cuire à la vapeur : cuire des aliments à partir de la vapeur produite par un liquide bouillant.
Cuire (pocher) à court-mouillement : faire cuire dans un peu de liquide (poissons).
Étuver (ou cuire à l'étouffée) : faire cuire lentement à couvert, avec un peu de matière grasse (légumes).
Frire : faire cuire dans de l'huile chaude.
Glacer : cuire avec un peu d'eau, du beurre, du sel et du sucre et laisser évaporer (carottes, navets, oignons).
Gratiner : saupoudrer avec du gruyère et placer sous la salamandre.
Griller : placer directement un aliment sur un gril (ou une salamandre).
Marquer en cuisson : commencer la cuisson.
Mouiller : ajouter un liquide pour permettre la cuisson.
Pocher : (départ dans liquide froid ou bouillant) cuire un aliment dans un liquide.
Poêler : cuire de grosses pièces de viande ou de volaille à couvert et dans une garniture aromatique.
Rôtir : cuire dans un four ou à la broche (rôtissoire).
Sauter : cuire rapidement dans une sauteuse avec du beurre ou de l'huile.

■ Les vêtements (➞ p. 27)

Un costume (lui) / Une robe (elle)
Une chemise / Un chemisier (elle)
Une cravate (lui) / Un foulard (elle)
Une veste
Un gilet
Un pantalon
Une jupe
Des collants
Des chaussettes
Des chaussures

• En été
Un tee-shirt
Un chapeau
Une casquette

• En hiver
Un manteau
Un pull
Un bonnet
Des gants
Une écharpe

• Les vêtements professionnels
La toque / Le calot
Le tour de cou
La veste
Le tablier
Le torchon
Les chaussures (antidérapantes)

■ Les parties du corps (➞ p. 26)

La tête
Le cou
Le bras
L'épaule
Le coude
Le poignet
La main
Les doigts
Les ongles
Le ventre
Les jambes
Les pieds

• Le visage
Les cheveux
Le front
Les oreilles
L'œil / Les yeux
Les sourcils
Les joues
Le nez
La bouche
Les lèvres
La langue
Le menton

Unité 1

Leçon 2 – page 9

2. Qui fait quoi ? Écoutez et associez.

Homme : Bonjour, je m'appelle Youri. Je suis poissonier. Je suis responsable de la préparation du poisson.
Femme : Bonjour, je m'appelle Christine. Je suis responsable des sauces. Je suis le saucier.
Homme et femme : Salut. Salut. Nous nous appelons Li et Andrea. Nous sommes commis de cuisine. Nous aidons les chefs de partie.
Homme : Bonjour, je m'appelle Sam. Je suis le garde-manger. Je suis responsable des marchandises en cuisine.

Leçon 3 – page 10

2. Écoutez les deux messages et complétez les fiches de renseignements.

Femme : Bonjour, je suis Corinne Merlin, C.O.R.I.N.N.E, Merlin M.E.R.L.I.N. Je suis française. J'ai 30 ans et je suis née à Paris. Je suis commis pour le chef poissonnier. Je suis célibataire. J'habite 13, place du Marché, à Bordeaux. Mon téléphone est le 05 18 00 23 29 et mon mail cmerlin@gmail.com.
Homme : Bonjour, je suis Youssef Ben Amar, Y.O.U.S.S.E.F., Ben B.E.N., Amar A.M.A.R, je suis tunisien. J'ai 35 ans et je suis né à Tunis. Je suis commis pour l'entremétier. J'ai un frère et trois sœurs. Mon numéro de téléphone est le 05 16 20 25 12. J'habite 21, avenue d'Italie à Bordeaux. Ah, mon mail est yba (y-b-a)@orange.fr.

Zoom sur... – page 11

1. Écoutez et complétez avec un article : *le, la, l', les.*

a. Les courgettes
b. L'asperge
c. Le poivron
d. Les haricots
e. L'oignon
f. Le maïs
g. L'aubergine
h. Les carottes
i. La tomate

Zoom sur... – page 11

2. Écoutez le second du restaurant et complétez la feuille de marché avec les légumes suivants.

Il faut commander 2 kilos d'asperges, 4 kilos d'aubergines, 3 kilos de carottes, 1 kilo de concombres, 5 kilos de courgettes, 2 kilos de haricots, 1 kilo d'oignons, 3 kilos de petits pois, 5 kilos de pommes de terre, 7 kilos de tomates. Pas de laitue, nous avons 4 kilos de laitue en stock.

En cuisine – page 13

2. Écoutez les ingrédients des trois recettes de salades et complétez les fiches.

Femme : Salade fraîcheur : 4 petits artichauts, 1 concombre, 12 asperges vertes, 80 grammes de petits pois, une laitue, du persil, de l'huile d'olive, du sel et du poivre.
Homme : Salade à la grecque : 3 tomates, 1 concombre, 1 laitue, 1 oignon rouge, 100 grammes de feta, du persil, sel et poivre.
Femme : Salade tunisienne : 6 tomates, 3 poivrons verts, 2 concombres, un oignon, 2 œufs durs, olives vertes et noires, une boîte de thon, huile d'olive, menthe, sel et poivre.

Bilan – page 14

1. Écoutez et complétez le dialogue.

Pablo : Bonjour Madame.
Michelle : Bonjour Monsieur.
Pablo : Je m'appelle Pablo, je suis l'apprenti péruvien.
Michelle : Ah Pablo, bienvenu ! Je m'appelle Michelle, je suis la responsable du restaurant. Comment vas-tu ?
Pablo : Je vais très bien, merci.
Michelle : Mon numéro de téléphone est le 03 26 12 07 15. Je te présente Luisa, le second. Elle est italienne.

Bilan – page 14

4. Écoutez et associez chaque personnage à sa fonction et à son restaurant.

Femme : Bonjour, je m'appelle Yumé. Je suis entremétier au *Bistrot gourmand.* Je suis japonaise.
Homme : Bonjour, je m'appelle Karl. Je suis suisse et je suis pâtissier au *Château Martel.*
Homme : Salut ! Je suis Marco. Je suis italien. Je suis rôtisseur à la *Brasserie de la gare.*
Femme : Bonjour, c'est Helen. Je suis suédoise. Je suis le chef de l'*Auberge aux saveurs.*
Femme 3 : Salut, je m'appelle Paola. Je suis brésilienne. Je suis apprentie *Chez Laurent.*

Unité 2

Leçon 1 – page 16

2. Écoutez. Quel est ce local ?

a. Il est derrière le bar.
b. Il est entre la salle à manger et la cuisine.
c. Il est devant le restaurant.
d. Il est au centre du restaurant.
e. Il est à côté de la cuisine.
f. Il est à côté des vestiaires.

Leçon 1 – page 16

4. Écoutez et cochez la bonne réponse.

a. Albert est dans la cuisine. Il va dans le garde manger.
b. Les commis ne vont pas dans la salle. Ils sont dans la cuisine.
c. Les clients sont dans la salle. Ils ne vont pas dans la cuisine.
d. Le directeur va dans le bureau. Il va aussi dans la cuisine.
e. Sophie est au bar. Maintenant elle va dans le vestiaire.

Leçon 2 – page 17

1. Écoutez et associez chaque repas au moment de la journée.

Le matin, on prend le petit-déjeuner. À midi, c'est l'heure du déjeuner. Dans l'après-midi, les enfants prennent un goûter. Et le soir, c'est le dîner. Avant le déjeuner ou le dîner, parfois on prend l'apéritif. Dans la journée, certaines personnes prennent des en-cas.

Leçon 2 – page 17

2. Écoutez. Qu'est-ce qu'ils prennent au petit-déjeuner ?

Basile : Bonjour, je m'appelle Basile. Je suis français. Au petit-déjeuner, je prends du lait, un croissant, et du pain avec de la confiture ou du miel.
Ingrid : Bonjour, je m'appelle Ingrid et je suis allemande. Au petit-déjeuner, je prends du jambon et du fromage avec des œufs, du thé et du jus d'orange.
Stella : Bonjour, je m'appelle Stella. Je suis américaine et au petit-déjeuner je prends des céréales avec du yaourt, des fruits et un café.

Leçon 3 – page 18

1. Écoutez la visite de la cuisine et retrouvez la fonction de chaque local.

La cuisine du restaurant
Luisa : Bonjour, je m'appelle Luisa, je suis le second de cuisine. Nous allons visiter la cuisine du restaurant.
Voici la zone de nettoyage avec la laverie. Dans la laverie, on lave la vaisselle. À côté, il y a la plonge-batterie. Dans la plonge-batterie, on nettoie le matériel de cuisine. Et derrière, vous avez le local à poubelles : c'est pour jeter les déchets.

Voici la zone de préparation. Ici, on épluche les légumes : c'est la légumerie. À côté, il y a la boucherie pour préparer les viandes. On conserve les aliments périssables dans les chambres froides. Les aliments non périssables sont conservés dans la réserve : elle est là. Pour finir, la zone de cuisson : c'est pour cuire les préparations. Voilà, maintenant vous connaissez toute la cuisine !

Zoom sur... – page 19

2. Écoutez l'enregistrement et complétez le plan de nettoyage.

Voici le programme de nettoyage pour la semaine du 13 avril au 20 avril. Le commis rôtisseur est responsable du nettoyage de la rôtissoire et de la friteuse. Il nettoie la rôtissoire tous les jours de la semaine après le service. Il nettoie la friteuse le jeudi et le dimanche. Cette semaine, le commis poissonnier est responsable du four. Il nettoie le four le mardi et le vendredi. Les apprentis sont responsables du nettoyage des placards et des étagères. Ils nettoient les placards et les étagères le lundi, le mercredi et le samedi.

En cuisine – page 21

3. Le 2 février, c'est la Chandeleur. Ce jour-là, on mange des crêpes ! Cette année, le chef propose des crêpes originales. Écoutez et complétez.

Le chef : Cette année, pour la Chandeleur, je propose différentes recettes de crêpes.
En entrée : les crêpes à la mexicaine, avec des oignons, un peu d'ail, du maïs et des poivrons rouges.
Comme plat principal, la crêpe madame : c'est un gâteau de crêpes avec du jambon, du fromage (du gruyère, par exemple), du beurre et un jaune d'œuf dessus ! C'est très bon...
Et en dessert, un mille-feuille de crêpes à la menthe et au citron.

Bilan – page 24

4. Écoutez ces messages. Cochez la bonne case.

Conversation 1
Homme : Bonjour, qu'est-ce que vous avez pour le petit-déjeuner ?
Femme : Pour le petit-déjeuner, nous avons du pain avec de la confiture. Il y a aussi du fromage, du café et bien sûr, un jus d'orange.
Homme : Vous avez des croissants et du yaourt ?
Femme : Non, monsieur, je suis désolée, mais nous avons des crêpes.
Homme : Parfait ! Merci, au revoir.
Femme : Au revoir, monsieur.

Conversation 2
Homme : Bonjour madame, qu'est-ce que vous prenez pour le petit-déjeuner.
Femme : Pour le petit-déjeuner, je prends du lait avec des céréales. Je prends aussi des viennoiseries et des fruits.
Homme : Bien. Vous prenez du jambon ou des œufs ?
Femme : Non merci, pas au petit-déjeuner. Ah, je prends un yaourt aussi s'il vous plaît ?
Homme : Oui, bien sûr.

Unité 3

Leçon 1 – page 26

1. Écoutez la conversation. Où le chef a-t-il mal ?

Homme : Allô docteur ? Bonjour, c'est urgent. Le chef est malade. Il a le visage rouge.
Docteur : Est-ce qu'il a les pieds et les mains rouges ?
Homme : Ah, non ! Ils sont bleus ! Et il a mal à la tête et au dos.
Docteur : Et ses yeux, ils sont comment ?
Homme : Ils sont ouverts.
Docteur : Bien. Et il parle ?
Homme : Non, mais il entend.
Docteur : Depuis quand il a mal à la tête ?
Homme : Depuis ce matin ?
Docteur : Qui est avec lui ?

Homme : Tout le personnel du restaurant.
Docteur : Où est-il ?
Homme : Dans la cuisine.
Docteur : Bon, j'arrive.

Leçon 1 – page 26

2. Écoutez, est-ce que c'est une question ou une déclaration ?

a. Il s'appelle Paul.
b. Vous avez mal à la tête ?
c. Je mélange les œufs avec la farine ?
d. Elle est pâtissière.
e. Tu aimes les abricots ?
f. Elles prennent l'apéritif.
g. Vous avez le fouet ?
h. Ils vont à la plonge.

Leçon 2 – page 27

3. Écoutez, notez les vêtements de la tenue professionnelle.

a. Dans le casier de James, on trouve des croissants, des chaussures de sécurité, une toque.
b. Dans le casier de Silvia, on trouve un tour de cou, du fromage, une veste.
c. Dans le casier de Jean-Baptiste, on trouve un tablier, un pantalon, du pain.
d. Dans le casier de Sophie, on trouve des tomates, un calot, un torchon et un fouet.

Leçon 2 – page 27

4. Écoutez et répondez.

Luisa achète une tenue professionnelle
Luisa : Bonjour monsieur, je cherche une tenue professionnelle. Je suis second de cuisine.
Vendeur : Bien sûr, madame. Est-ce que cette veste vous plaît ?
Luisa : Oui, elle me plaît beaucoup.
Vendeur : Quelle est votre taille ?
Luisa : Je fais du 38.
Vendeur : Vous avez aussi besoin de chaussures ?
Luisa : Oui, mais ces chaussures ne me plaisent pas.
Vendeur : Ah. J'ai aussi cette paire.
Luisa : J'aime bien cette paire. Ma pointure est le 39.
Vendeur : Voilà madame, la veste en 38 et les chaussures en 39.
Luisa : La veste me va bien, mais pas les chaussures. Elles sont grandes.
Vendeur : Voilà du 38 alors.
Luisa : C'est parfait en 38. Ça me va bien !
Vendeur : Est-ce que vous voulez une toque ?
Luisa : Ah oui ! Cette toque est très belle. Elle coûte combien ?
Vendeur : Elle coûte 25 euros.
Luisa : C'est cher !
Vendeur : Oui, mais la veste et les chaussures ne sont pas chères.

Leçon 3 – page 28

3. Écoutez l'enregistrement. Notez les recommandations du chef.

Bonjour à tous, je suis le chef et il y a des règles à respecter dans ma cuisine. D'abord, portez une toque en cuisine. Puis lavez-vous les mains : l'hygiène, c'est très important en cuisine. Ensuite, faites attention avec les équipements et les ustensiles.
Attention, on ne peut pas sortir de la cuisine avec sa tenue professionnelle. Autre chose, on ne goûte pas les plats avec ses doigts. Et puis, on ne fume pas dans la cuisine.

Zoom sur... – page 29

3. Écoutez le primeur, monsieur Doroit.

a. Notez les fruits proposés pour chaque saison.
Journaliste : Bonjour monsieur Doroit.
M. Doroit : Bonjour.
Journaliste : Pouvez-vous nous présenter les fruits selon la saison ?

M. Doroit : Au printemps, nous avons les cerises et les fraises. L'été, il y a les abricots et les pêches, mais aussi les framboises et les myrtilles.

Journaliste : Hum, les myrtilles, c'est délicieux !

M. Doroit : En automne, il y a moins de fruits. Nous trouvons des pommes, des poires et du raisin. Les Français aiment beaucoup le raisin.

Journaliste : Et en hiver ?

M. Doroit : Eh bien en hiver, il y a les agrumes et les fruits exotiques.

Journaliste : En France, qu'est-que c'est un fruit exotique ?

M. Doroit : Pour les Français, les mangues, les ananas, les dattes et les litchis sont des fruits exotiques.

Journaliste : Merci beaucoup monsieur Doroit, au revoir.

En cuisine – page 31
5. Écoutez et complétez.

a. Une rondelle d'ananas
b. Un quartier de pomme
c. Une tranche de melon
d. Une peau de banane
e. Une queue de cerise
f. Un grain de raisin
g. Un zeste de citron

Bilan – page 32
2. Écoutez et associez chaque phrase à un thème.

a. Je ne trouve pas mon tablier et ma toque.
b. Pauline, dénoyaute ces abricots et ces pêches !
c. Lavez vos mains avant de travailler.
d. Au printemps, il y a de bons légumes.
e. Prends le torchon pour essuyer.
f. Les clients aiment le jus de fraise et banane.
g. Elle prépare des crêpes en hiver.
h. Il oublie toujours sa toque.

Bilan – page 32
4. Complétez avec l'adjectif possessif ou démonstratif.

a. Prends ma veste.
b. Écoutez cette recette.
c. Utilise son torchon.
d. Prends mes chaussures.
e. Ce n'est pas ma toque.
f. Ils nettoient leurs ustensiles.

Unité 4

Leçon 1 – page 34
5. Écoutez et notez les numéros de téléphone.

a. 01 46 34 80 98
b. 06 61 92 29 70
c. 05 94 77 44 88
d. 02 36 71 85 95

Leçon 2 – page 35
1. Écoutez l'enregistrement. Aidez le maître d'hôtel à ranger les pièces du service.

Tout est en désordre dans ce buffet ! Baptiste, venez ici et rangeons le service.
Bon commençons par les assiettes : les assiettes plates, les assiettes creuses pour les potages et les coupelles pour les desserts.
Bien, maintenant les verres : les verres à pied, pour l'eau et pour le vin, les flûtes et les coupes pour le champagne.
Parfait, les tasses ensuite : alors les tasses, les soucoupes et les bols.
Continuons avec les couverts : les cuillères à soupe d'un côté et les cuillères à café de l'autre côté. Puis les fourchettes et les couteaux de table.
Enfin, les accessoires pour finir : la salière et la poivrière, le beurrier, le sucrier, et la corbeille à pain.

Leçon 3 – page 36
1. Écoutez le directeur. Associez chaque fonction à sa définition.

Femme : Bonjour monsieur le directeur, est-ce que vous pouvez nous présenter la brigade du restaurant ?

Directeur : Bien sûr, alors Mathilde est le maître d'hôtel. Elle dirige le travail de toute la brigade. Elle accueille et place les clients aux tables. Ensuite nous avons deux chefs de rang, Cristina et Paul. Ils organisent la mise en place des tables et ils dirigent les commis pour le service aux tables. Nous avons sept commis de rang. On dit aussi commis de salle. Ils prennent les commandes des clients et font le service des plats. Les commis débarrasseur aident les commis de salle pour débarrasser les tables.
Nous avons enfin un sommelier. Il conseille les clients pour le vin et il est responsable de la cave et des vins. Et puis il y a Andrew, le barman. Il s'occupe du bar. Il prépare les boissons d'apéritif et les cocktails

Femme : Merci, maintenant nous connaissons tout le monde !

Leçon 3 – page 36
2. Écoutez. Quel adjectif entendez-vous ?

a. Une grande table
b. Une grosse pomme
c. Un long travail
d. Une crème épaisse
e. Un plat creux
f. Une bonne recette

Zoom sur... – page 37
1. Écoutez et complétez la fiche d'inventaire.

Femme : Sandra, il faut vérifier les stocks pour les ingrédients de base. Commençons par les œufs. Nous avons 37 œufs en stock, il faut commander 13 œufs.
Maintenant, la farine de blé blanche T45. Le code est 0371. Nous avons 2 kilos. Ce n'est pas assez, nous devons commander 10 kilos.
L'huile de tournesol, le code est 0540. Nous avons 8 litres. On commande 4 litres de plus.
Oh, il n'y a pas de sucre semoule. Il faut commander 5 kilos de sucre semoule. Le code est 4196. Nous avons 5 litres de lait, on commande 1 litre.

Sandra : Quel est le code chef ?

Femme : Ah pardon, le code est 8723. Nous avons 5 kilos de beurre et 4 kilos de crème fraîche. C'est suffisant. Merci pour votre aide Sandra.

En cuisine – page 38
4. Écoutez les 6 conseils du pâtissier pour réaliser une bonne pâte à choux et complétez.

Bonjour à tous, voici mes conseils pour réaliser une bonne pâte à choux. Avant de commencer la préparation, on doit préparer tous les ingrédients. Ensuite, il faut découper le beurre en morceaux. Il faut bien mélanger avec une cuillère en bois. Et surtout n'oubliez pas d'ajouter un peu de sel. Il faut laisser la pâte sécher. Avant de mettre les choux à cuire, faites bien refroidir la pâte.

Bilan – page 42
2. Écoutez les phrases et notez les pièces du service demandées.

a. Lave les petites cuillères et tous les couverts !
b. Sophie, je veux la salière et un bol, s'il vous plaît !
c. Où sont les fourchettes ? Je ne trouve pas les couteaux.
d. Vite, apportez les tasses et les assiettes plates pour le service !

Bilan – page 42
7. Écoutez et notez ces quantités.

a. 50 kilos
b. 88 litres
c. 863 centilitres
d. 175 grammes

e. 550 grammes
f. 95 œufs

Leçon 1 – page 44

**2. Dans quel ordre on prépare les légumes ?
Écoutez et mettez les verbes dans l'ordre.**

Tout d'abord on épluche les légumes. Deuxièmement on lave les légumes et on rince les pommes de terre. Après il faut égoutter les légumes avec une passoire. Puis on taille les légumes. Ensuite, c'est le moment de cuire les légumes. Enfin ils sont prêts ! On dresse les légumes dans un plat.

Leçon 2 – page 45

3. Écoutez le chef et complétez le tableau.

a. Ces lentilles sont bien cuites, bravo !
b. Faites attention ! Il faut très peu de noix et deux ou trois châtaignes.
c. Mais que faites-vous ! Pour cette préparation, il faut des pois chiches, pas des haricots blancs.
d. C'est très bon avec des noisettes, bonne idée !
e. Ahhh, vous oubliez encore les pignons de pin...
f. Non, non, non, vous mettez trop de raisins secs !

Leçon 3 – page 46

2. Écoutez l'enregistrement et répondez.

Homme : Bonjour, nous sommes aujourd'hui avec Karine Dupré, chef de partie entremétier au restaurant *Le Fourneau magique*.
Karine : Bonjour.
Homme : Karine, quels sont les différents types de taille des légumes ?
Karine : Eh bien, il y a différents types de taille. Je commence par la mirepoix. La mirepoix est un mélange d'oignons, de céleris et de carottes taillés en cubes de 1 centimètre et demi environ. On utilise la mirepoix pour les sauces. On utilise aussi la mirepoix pour la préparation des garnitures de viande.
Homme : Et la macédoine ?
Karine : Pour la macédoine, on taille les fruits ou les légumes en petits dés, de 4 ou 5 millimètres environ. Pas plus, 4 ou 5 millimètres.
Homme : Et la brunoise ?
Karine : Alors pour la brunoise, on taille délicatement les légumes en très petits dés. J'insiste des dés très petits. La brunoise est une garniture parfaite pour les potages et les sauces.
Homme : Et pour finir la julienne ?
Karine : On taille les légumes très finement en bâtonnets. Les légumes en julienne sont très bons dans les potages.
Homme : Merci chef, maintenant je connais tous les types de taille. Je ne ferai pas d'erreur.
Karine : Ah non, pas question ! La taille des légumes, c'est e-ssen-tiel en cuisine !

Zoom sur... – page 47

2. Écoutez l'enregistrement et associez.

Femme : Je vais utiliser la plaque à débarrasser pour éplucher et transporter les aliments.
Homme : Pour réserver les pommes de terre, choisissez le bahut. Il sert à débarrasser ou réserver des aliments dans un liquide.
Homme : On réchauffe le potage avec le bain-marie. Les soupes et les potages restent au chaud sur le feu.
Femme : Je vais avoir besoin de tous les bacs, les grands et les petits, pour transporter, refroidir et réchauffer les aliments.
Femme : Vous allez prendre la bassine pour laver les légumes. Vous utiliserez aussi la bassine pour préparer et réserver les viandes.
Homme : Nous allons utiliser une calotte pour la pâte à crêpes.

Zoom sur... – page 47

4. Est-ce que vous entendez le son [p] ou le son [b] ?

a. Il faut peu de farine

b. Sa veste est bleue.
c. Détaillez les pommes.
d. Ces lentilles sont bonnes.
e. Donne-moi un pot.
f. C'est un beau couteau.
g. Où est la plaque ?
h. Où est le bac ?
i. Ils veulent des poires.
j. Ils veulent boire.

En cuisine – page 49

5. Écoutez l'enregistrement et répondez.

Le taboulé est un plat très simple. Il faut peu d'ingrédients : du persil, de la menthe, des oignons, du boulgour, des tomates, de l'huile d'olive et un jus de citron. Pour réussir le taboulé, il faut respecter une règle importante : le taboulé est vert.
Premièrement, lavez et égouttez le boulgour. Puis ajoutez de l'eau et du jus de citron. Laissez gonfler le boulgour 15 minutes. Pendant ce temps, hachez finement le persil et les oignons. Ciselez la menthe. Ensuite détaillez les tomates en petits dés. Ajoutez le persil, la menthe, les oignons et les tomates avec le boulgour. Salez, ajoutez un peu d'huile d'olive. Mélangez et servez frais.

Bilan – page 50

1. Qui parle ? Écoutez et associez.

a. Je détaille les pommes de terre, puis je vais préparer une brunoise de courgettes chef !
b. Je vais prendre une macédoine de légumes pour commencer, puis une truite au court-bouillon comme plat principal.
c. Il faut préparer une mirepoix, tout de suite.
d. Pour tailler en julienne vous devez émincer très finement. Il faut faire soigneusement les premiers travaux pour devenir un grand chef...
e. Vous, vous allez râper ces carottes et moi je dresserai les hors-d'œuvre.
f. Moi je prépare les hors-d'œuvre chauds !

Bilan – page 50

5. Écoutez et complétez le tableau. Le conseil porte sur la préparation du légume ou sur la coupe du légume ?

a. Émince les poireaux !
b. Ciselez les oignons !
c. Rinçons les pommes de terre !
d. Égoutte les radis !
e. Équeute les haricots !
f. Concassez les tomates !
g. Dressez la salade !
h. Détaillons les carottes !
i. Monde les poivrons !
j. Hache le persil !

Leçon 1 – page 52

4. Associez chaque phrase à son but.

a. Vite, deux petites casseroles et la plaque à débarrasser !
b. Rangez la sauteuse et les couvercles, s'il vous plaît.
c. Utilise la marmite ! C'est simple.
d. Éteignez la hotte et lavez ces poêles.
e. Qui a le rondeau ?
f. Ajoutez un peu d'eau dans la plaque à rôtir. C'est important pour avoir une bonne cuisson.

Leçon 2 – page 53

1. Écoutez l'enregistrement et répondez.

Apprenti : Chef, comment je fais cuire les légumes ?
Chef : Voilà l'entremétier, tu peux lui demander conseil.

Entremétier : Alors, tu peux faire sauter les légumes dans une sauteuse avec de l'huile ou du beurre. On peut aussi cuire les légumes à l'étuvée, c'est-à-dire à couvert, avec un peu de matière grasse, de l'huile ou du beurre.
Apprenti : D'accord. Et est-ce que je peux faire griller sur le gril les légumes ?
Entremétier : Oui, pour les courgettes ou les aubergines. Mais n'utilise pas le four ou la rôtissoire.
Apprenti : Pourquoi ?
Entremétier : Parce que le four et la rôtissoire servent pour la viande.
Apprenti : Donc je note. Ne pas frire dans le four ou avec la rôtissoire.
Entremétier : C'est ça.
Apprenti : Et pocher les légumes, qu'est-ce que c'est ?
Entremétier : Pocher les légumes, c'est cuire dans de l'eau froide ou bouillante.

Leçon 2 – page 53
5. Écoutez. Est-ce que vous entendez le verbe *vouloir* ou le verbe *pouvoir*.
a. Il ne veut pas venir.
b. Vous pouvez commencer.
c. Nous voulons manger.
d. Elles veulent cuisiner.
e. Ils peuvent griller.

Leçon 3 – page 54
2. Écoutez l'enregistrement et répondez.
a. Andy, rôtisseur
La rôtissoire est plus rapide que le four pour cuire la viande.
b. Samir, poissonnier
Le poisson poché est meilleur que le poisson grillé.
c. Marie, entremétier
Je préfère la cuisson à l'étuvée. Elle est parfaite pour les légumes d'été.
d. Albert, pâtissier
La cuisson est aussi importante que la préparation en pâtisserie !
e. Catherine, chef
La cuisine au beurre est moins grasse que la cuisine à l'huile.

Zoom sur... – page 55
2. Écoutez l'enregistrement et associez les noms des préparations à la photo.
a. Les œufs durs : porter l'eau à ébullition et laisser cuire les œufs pendant 9 à 11 minutes.
b. Les œufs brouillés : pendant la cuisson, mélanger les œufs avec une fourchette jusqu'à la formation d'une crème.
c. Les œufs à la coque : plonger les œufs dans l'eau en ébullition durant 3 minutes.
d. Les œufs au plat : ne pas laisser frire les œufs trop longtemps.
e. Les œufs pochés : après la cuisson, rafraîchir les œufs dans l'eau froide durant 3 ou 4 minutes.

En cuisine... – page 56
2. Écoutez l'enregistrement et répondez.
Journaliste : Bonjour Jeanne. Vous êtes la propriétaire de *La Soupière*. Mais un bar à soupes, qu'est-ce que c'est ?
Jeanne : C'est un restaurant où on déguste des soupes. C'est le seul plat de la carte !
Journaliste : Combien de soupes avez-vous sur la carte ?
Jeanne : Nous proposons une douzaine de soupes différentes. Les recettes changent selon les saisons.
Journaliste : En ce moment, qu'est-ce que vous proposez ?
Jeanne : Nous avons des potages classiques : le velouté de poireau ou le velouté de potiron. Nous proposons aussi des recettes originales : le potage de carottes à l'ananas, le potage de petits pois à la menthe, ou le potage de lentilles et citron vert. Les clients peuvent aussi composer leur soupe selon leurs goûts.
Journaliste : Et combien coûte un repas dans votre bar à soupe ?
Jeanne : Nous proposons une formule à 8,50 euros avec un bol de soupe et un petit pain. Nous avons aussi une formule à 10 euros avec soupe, pain et salade de fruits.

Bilan – page 60
2. Écoutez le chef, sélectionnez le matériel nécessaire.
Pour réaliser la soupe au pistou, vous avez besoin de 3 plaques à débarrasser, d'un petit bahut, d'une passoire, d'une calotte et d'une planche à découper. Vous avez besoin de russes pour faire cuire la soupe. Vous dressez la soupe dans une soupière.

Bilan – page 60
5. Écoutez et complétez le tableau des cuissons.
Voici des conseils de cuisson. Aujourd'hui, nous préparons du poisson, des champignons et des œufs. Pour le poisson, c'est très simple, toutes les cuissons sont possibles. Maintenant les œufs. Il y a différentes cuissons pour les œufs. Aujourd'hui, je prépare des œufs pochés. Je prépare aussi des champignons. On peut rôtir les champignons. On peut aussi cuire les champignons à l'étuvée. Le meilleur, c'est les champignons sautés !

Unité 7

Leçon 1 – page 62
3. Écoutez les conseils du boucher et répondez.
Il existe 3 catégories de viande. Pour déterminer la cuisson des morceaux, il faut connaître la catégorie du morceau.
Le filet ou les côtelettes sont des viandes de première catégorie. Une cuisson courte est parfaite pour les viandes de première catégorie. Ces morceaux sont souvent grillés ou rôtis, parfois sautés, mais jamais pochés.
Les côtes ou l'épaule sont des viandes de deuxième catégorie. Il faut toujours une cuisson plus longue. Ces viandes sont souvent rôties, quelquefois braisées, et parfois sautées en sauce.
Le collier et la poitrine sont des viandes de troisième catégorie. Elles ont besoin d'une cuisson très longue. On peut pocher ces morceaux. Les viandes de troisième catégorie peuvent aussi être préparées en ragoût ou braisées. Elles ne sont jamais grillées.

Leçon 2 – page 63
1. Écoutez l'enregistrement et répondez.
Le bouquet garni est composé d'herbes aromatiques : thym, persil, laurier. Parfois, on ajoute du vert de poireau, du céleri ou d'autres herbes. On attache les herbes ensemble avec une ficelle. On met le bouquet à cuire avec la préparation. À la fin de la cuisson, on enlève le bouquet garni. Le bouquet garni est utilisé pour la préparation de nombreux plats, par exemple les ragoûts, et pour les sauces.

Leçon 2 – page 63
3. Écoutez, répétez et notez quel son vous entendez : *an, in, on*.
a. L'estragon
b. Le piment
c. Le thym
d. La menthe
e. Le citron
f. Le romarin
g. Le safran
h. Les oignons
i. La coriandre
j. Le gingembre

Leçon 3 – page 64
3. Consultez les notes du commis saucier, écoutez l'enregistrement et répondez.
Homme : Pour réaliser une sauce béarnaise, réunissez dans une sauteuse le vin blanc, le vinaigre, l'estragon et le cerfeuil, puis faites réduire doucement sur le feu.

Annexes

Femme : La sauce espagnole sert de base pour la préparation d'autres sauces. Pour finir, il faut passer la sauce au chinois.
Homme : Avec le fond brun, il faut porter à ébullition puis dégraisser soigneusement avant d'ajouter la garniture.
Femme : Attention, pour la sauce béchamel, versez la moitié du lait bouillant sur le roux et mélangez. Versez ensuite le reste du lait et continuez à mélanger.
Homme : La sauce nantua est une sauce à base de béchamel et d'écrevisses. Marquez la sauce en cuisson, puis déglacez avec du vin blanc. Laissez réduire pendant 15 minutes, puis ajoutez de la crème pour lier la sauce.

Zoom sur… – page 65
3. Écoutez l'enregistrement et répondez.

Femme : Je suis le commis, je suis en train d'habiller les volailles. Je nettoie les volailles et je les prépare pour la cuisson.
Homme : Je suis le chef, je suis en train de poêler un foie gras d'oie. Je le fais cuire très lentement à couvert.
Femme : Je suis l'apprenti, je suis en train de brider un poulet. Je l'attache avec de la ficelle pour la cuisson.
Homme : Je suis le boucher, je suis en train de désosser une dinde. J'enlève les os de la viande.
Femme : Je suis le chef de rang, je suis en train d'escaloper les magrets de canard. Je les détaille en fines tranches.

Bilan – page 68
2. Écoutez l'enregistrement et notez les commandes.

a. Une épaule d'agneau sauce à la menthe.
b. Une cuisse de poulet au citron et au persil.
c. Un rôti de dinde à l'estragon.
d. Un filet de veau sauce moutarde.

Bilan – page 68
4. Écoutez l'enregistrement et notez les conseils du saucier.

a. Sauce bourguignonne : commence par faire réduire un demi litre de vin rouge.
b. Sauce tomate : ajoute le bouquet garni à la fin de la cuisson.
c. Fond brun : déglace les sucs à l'eau froide.
d. Sauce suprême : lier avec le jaune d'œuf et la crème.
e. Sauce béchamel : laisse refroidir le roux avant de verser le lait.

Unité 8

Leçon 1 – page 70
1. Écoutez le poissonnier et répondez.

Pour évaluer la fraîcheur d'un poisson, vous devez d'abord le sentir. L'odeur doit toujours être agréable. Elle doit encore rappeler l'odeur de la mer ou de la marée. Le poisson sent mauvais ? Il ne faut pas le garder. Il faut ensuite examiner le poisson. L'œil doit encore être transparent. Les écailles doivent être brillantes. Les branchies doivent toujours être rouges ou rosées. Enfin au toucher, la peau et l'abdomen doivent être fermes, bien tendus.

Leçon 2 – page 71
3. Écoutez l'interview et associez les plats aux modes de cuisson.

Journaliste : Bonjour à tous. Alain Duby est réputé pour ses spécialités de poissons. Aujourd'hui, il va nous parler des plats les plus appréciés par ses clients.
Alain Duby : Bonjour. Parmi les plats préférés des clients, une recette classique du restaurant : le dos de cabillaud, sauce aux olives et purée de pommes de terre. Je fais sauter le poisson à la poêle. C'est une recette très simple mais excellente. Pour les amateurs de poisson cru et mariné, nous avons un tartare de sardines aux tomates et aux raisins. La marinade au jus de citron et aux herbes aromatiques rend le poisson plus tendre et plus parfumé. Nous utilisons aussi cette marinade pour le poisson grillé, par exemple le tronçon de turbot grillé beurre blanc. On met le poisson dans la marinade avant de le mettre sur le gril.
Journaliste : Ça semble délicieux !
Alain Duby : Enfin la spécialité la plus demandée est la darne de colin pochée et brocolis à la vapeur. Elle est cuite au court-bouillon. C'est une préparation aromatique à base de vin blanc pour pocher les poissons.
Journaliste : J'ai goûté le filet de sole sauce au poivron rouge. Comment l'avez-vous préparé ?
Alain Duby : Le filet de sole est cuit à court-mouillement. On le met peu de temps au four sur une plaque à poisson. On plaque les filets. Ensuite on ajoute une garniture aromatique et du vin blanc. On place une feuille de papier beurrée sur le plat pour éviter la coloration du poisson.
Journaliste : Merci Alain Duby. Maintenant à table. Vous nous avez ouvert l'appétit !

Leçon 3 – page 72
3. Écoutez la conversation et répondez.

Livreur : Bonjour, je suis le livreur de poissons. Voici la commande de poissons, vous voulez vérifier ?
Commis : Oui, bien sûr, je vais vérifier avec vous. Est-ce que vous avez les étiquettes d'identification sanitaire ?
Livreur : Oui, les voilà.
Commis : Merci… Mais elles ne sont pas complètes. La quantité n'est jamais indiquée.
Livreur : Ah, je ne sais pas.
Commis : Bon. Regardons le poisson.
Livreur : Ici vous avez les soles et les merlans. Dans ces caisses, là-bas, le thon et la morue.
Commis : Et les sardines, vous n'en avez pas ?
Livreur : Non, je n'en ai plus.
Commis : Ho, la, la, bon je vais contrôler la fraîcheur : alors, les branchies sont encore rouges, les yeux sont encore transparents mais les écailles ne sont plus très brillantes.
Livreur : Ah, je ne sais pas.
Commis : Hum… Et il n'y a pas beaucoup de glace pour la conservation, la température est à combien ?
Livreur : La température est autour de 3 degrés.
Commis : Mais c'est trop chaud… Je ne peux pas accepter ces produits. Je vais signaler les problèmes sur le bon de livraison.

Zoom sur… – page 73
3. Écoutez la recette des moules marinières et complétez la fiche technique.

Pour 8 personnes, il faut 2,5 kilos de moules, 100 grammes de beurre, 100 grammes d'échalotes, 10 centilitres de vin blanc et 20 g de persil. Et un peu de poivre pour l'assaisonnement.
Commencez par préparer les moules : lavez-les et nettoyez-les soigneusement sous l'eau.
Ensuite, on prépare la garniture. Épluchez et ciselez les échalotes. Lavez, équeutez et hachez le persil.
Marquez les moules en cuisson. Mettez dans un rondeau les moules, les échalotes, le persil et le vin blanc. Ajoutez du poivre et faites cuite à couvert pendant 5 minutes. Attention ne salez jamais. Pensez à remuer souvent.
Pour terminer, dressez les moules. Égouttez les moules avec une passoire et disposez-les dans un grand plat rond. Faites réduire le jus de cuisson et ajoutez le beurre hors du feu. Passez au chinois étamine et versez sur les moules. C'est prêt.

En cuisine – page 74
1. Écoutez l'enregistrement et répondez.

La cuisine française est extraordinaire. Elle est très riche. Il existe un nombre incroyable de spécialités régionales, préparées avec les produits du terroir. Prenez le poisson par exemple, il y a dans chaque région des préparations délicieuses.

En Normandie, on trouve les soles normandes. Ce sont des filets de sole pochés au court-mouillement et accompagnés de moules, de crevettes, d'huîtres et de champignons. Dans le sud de la France, on trouve d'autres variétés de poissons. En Languedoc-Roussillon par exemple, on prépare les anchois à la catalane. C'est une entrée à base d'anchois et de poivrons cuits au four, servis avec des œufs durs, de l'ail et du persil. On arrose le tout d'huile d'olive. En Provence on mange la bouillabaisse, une délicieuse soupe de poissons de Méditerranée avec des croûtons de pain à l'ail et une mayonnaise épicée qu'on appelle la rouille.
Sur la côte atlantique, on trouve les spécialités de fruits de mer. Dans les Pays de Loire, on prépare les coquilles Saint-Jacques à la nantaise. Ce sont des coquilles Saint-Jacques pochées au vin blanc avec une garniture de champignons. Elles sont recouvertes de chapelure et gratinées à la salamandre. Le homard à l'armoricaine est une spécialité de Bretagne. C'est un homard découpé en tronçons et cuit au court-mouillement avec du cognac et dans une préparation aromatique à base de tomates. Et il y a encore beaucoup de spécialités !

Bilan – page 78
2. Sélectionnez les plats annoncés.

Écoutez tous, voici les commandes : un tronçon de turbot sauce hollandaise, un saumon sauce mousseline, deux moules gratinées, deux truites pochées au court-bouillon, une darne de colin au beurre blanc et un crabe farci à la bretonne. Aux fourneaux !

Unité 9

Leçon 1 – page 80
3. Écoutez le pâtissier. Quelle crème faut-il pour réaliser chaque dessert ?

Femme : Pour les charlottes et les bavarois, je vous conseille de préparer une crème anglaise.
Homme : On me demande souvent comment bien réussir les éclairs et les mille-feuilles. Le secret, c'est une bonne crème pâtissière.
Femme : Toi, tu vas faire la crème pâtissière, s'il te plaît, pour remplir les choux.
Homme : Avec une tarte aux poires ou une galette des rois, il faut de la crème d'amande.
Femme : Va avec eux pour les aider à préparer la crème au beurre pour la bûche de Noël.

Leçon 2 – page 81
1. Écoutez l'enregistrement et répondez.

a. Pour la glace à la vanille, j'ai d'abord réalisé une crème anglaise. Ensuite, j'ai ajouté une garniture de fruits secs.
b. Ils ont commandé une crème brûlée à la table 14. Vous pouvez la préparer ?
c. Les glaces ou les sorbets sont conservés au congélateur à -18 degrés. On met les crèmes au réfrigérateur à une température maximum de 4 degrés. Attention, hein, pas plus de 4 degrés !
d. Le chef a expliqué la réalisation des glaces. Il faut du lait et de la crème ou des œufs. Le sorbet est un mélange d'eau et de sucre avec de la pulpe de fruits.
e. J'ai goûté une glace pistache-noisette. Ma femme a pris un sorbet au citron.

Leçon 2 – page 81
4. Écoutez. Est-ce que vous entendez *ont* ou *sont* ?

a. Ils sont venus nous attendre.
b. Ils ont commandé des entrées.
c. Ils sont partis chez eux.
d. Elles ont mangé des abricots.
e. Elles sont allées les appeler.
f. Ils ont pris nos ingrédients.

Leçon 3 – page 82
4. Écoutez l'enregistrement et associez les descriptions et les photos.

a. Choisissez une assiette triangulaire. Remplissez la pipette de chocolat. Faites des lignes en diagonale. Par-dessus, dressez une tranche triangulaire de tarte.
b. Prenez une assiette ronde. Placez au centre une part de gâteau au chocolat. Mettez un peu de chantilly sur la part de gâteau. Décorez avec une feuille de menthe.
c. Dans une assiette ronde, dressez une tranche de biscuit. Recouvrez avec des fruits. Remplissez la pipette de coulis et faites deux lignes de petits points.

Zoom sur... – page 83
3. Écoutez la recette du fondant au chocolat. Complétez les indications.

– Faites fondre le chocolat avec le beurre coupé en morceaux dans un bain-marie.
– Faites chauffer le lait et la crème.
– Blanchissez les œufs avec le sucre.
– Ajoutez la farine et mélangez avec le fouet.
– Versez ensuite le lait et la crème puis mélangez pour obtenir un appareil lisse et homogène.
– Ajoutez le mélange de chocolat et de beurre fondu puis mélangez.
– Versez la préparation dans les ramequins.
– Faites cuire dans un four préchauffé à 200 degrés.

En cuisine – page 84
3. Écoutez l'enregistrement puis associez.

Les français aiment beaucoup toutes les pâtisseries. Deux desserts traditionnels sont toujours présents pour les repas de fête. Le repas de Noël se termine par la bûche de Noël. Le 6 janvier, pour l'Épiphanie, on mange en famille ou avec les amis la galette des rois.
La bûche de Noël est une génoise roulée. Elle est parfumée au chocolat, au café. La galette des rois est faite avec de la pâte feuilletée, dorée au four et fourrée de frangipane. Dans la galette on place une fève, un petit objet. La personne qui a la part avec la fève reçoit une couronne. C'est le roi ou la reine !
On conseille de boire un vin blanc moelleux comme un Riesling ou un Sauternes avec la bûche et, avec la galette, un champagne demi sec est parfait.

En cuisine – page 85
4. Écoutez et répondez.

Hélène Pierret, répond aux auditeurs de l'émission « Cuisine de chef ».
Femme 1 : Comment obtenir des macarons bien lisses ?
Hélène Pierret : Il faut laisser les coques des macarons sécher pendant au moins 20 minutes sur une feuille de papier sulfurisé avant de les cuire.
Homme 1 : Comment ne pas casser les macarons ?
Hélène Pierret : À la sortie du four, faites couler un peu d'eau sous le papier sulfurisé. Le papier se décollera mieux ensuite.
Homme 2 : Comment faire un beau caramel ?
Hélène Pierret : Il faut cuire le caramel à 160-165 degrés. Le caramel a alors une belle coloration.

Bilan – page 86
2. Écoutez et complétez la composition du dessert.

a. Je vous conseille la tarte aux poires et aux amandes ou le parfait glacé au chocolat noir.
b. On demande un sorbet au citron vert et à la menthe à la table 15.
c. Mettez immédiatement cette crème moelleuse à l'orange au réfrigérateur.
d. Est-ce qu'on propose un gratin de fruits rouges croustillants ou un soufflé à la vanille pour ce menu ?

Annexes

Leçon 1 – page 88

2. Écoutez le dialogue et répondez.

Au restaurant

Commis : Bonjour monsieur, vous avez choisi ?
Client : Euh, j'hésite, qu'est-ce que vous me conseillez ?
Commis : Je vous conseille le plat du jour, c'est une spécialité du chef.
Client : Ah, mais j'aimerais goûter le filet de cabillaud à la moutarde.
Commis : Très bon choix monsieur. Et en entrée ?
Client : Je voudrais savoir ce qu'est la tarte fine aux légumes d'été ?
Commis : C'est une tarte salée, avec une pâte fine et des légumes de saison : tomates, poivrons et courgettes.
Client : Parfait ! Et en dessert, je vais prendre la mousse au chocolat noir. Elle n'est pas trop amère ?
Client : Non monsieur, c'est une mousse onctueuse et légèrement sucrée.

Leçon 2 – page 89

3. Écoutez les conseils de la diététicienne et répondez.

Homme : Combien faut-il de calories par jour ?
Femme : Eh bien, les apports nutritionnels conseillés varient pour un homme, une femme ou un enfant. Pour un homme actif, l'apport énergétique est d'environ 2500 calories par jour, celui d'une femme active est d'environ 2000 calories par jour.
Homme : Quels sont les nutriments essentiels ?
Femme : Les nutriments essentiels sont les glucides, les lipides et les protéines. On considère qu'une alimentation équilibrée est composée de 50 à 55 % de glucides, de 35 à 40 % de lipides, et de 10 à 15 % de protéines.
Homme : Quels sont les aliments à consommer et ceux à éviter ?
Femme : Tout d'abord il faut boire beaucoup d'eau. Ensuite, on doit consommer du pain et des céréales à chaque repas. Il faut aussi manger des légumes et des fruits. Les produits laitiers, le fromage par exemple, sont très importants aussi. Il ne faut pas manger trop de viande, de poisson ou d'œuf. Et il faut surveiller les matières grasses et le sucre.

Leçon 3 – page 90

3. Écoutez. Quelle heure entendez-vous ?

a. Deux heures
b. Onze heures
c. Sept heures
d. Trois heures
e. Seize heures
f. Dix heures

Leçon 3 – page 90

5. Écoutez l'enregistrement et répondez.

Conversation 1

Commis : Chef ! 2 couverts à la table 8, un œuf poché au saumon et une crème d'asperge, à suivre deux épaules d'agneau. Je réclame les entrées et faites marcher la suite.

Conversation 2

Commis : Chef, je réclame une salade de crevettes au gingembre pour la table 4.
Chef : Demande-la au garde-manger !

Conversation 3

Commis : Chef, faites marcher le filet mignon de porc aux pruneaux pour la table 5 et la truite au court-bouillon pour la 12.
Chef : D'accord, ce sera prêt dans 5 minutes.

Conversation 4

Commis : Chef, j'enlève la tarte Tatin ?
Chef : Non, attends, ne l'enlève pas tout de suite, il faut finir le dressage.

Zoom sur... – page 91

3. Écoutez l'inventaire et complétez la feuille de marché.

Chef : Caroline, venez m'aider à faire l'inventaire des stocks.
Caroline : Bien chef, j'arrive.
Chef : Combien d'anguille on a consommé aujourd'hui ?
Caroline : 3 kilos.
Chef : Bon, on commande 2 kilos pour demain. Et les crevettes, on a commandé 10 kilos la semaine dernière, il en reste combien ?
Caroline : Très peu, il reste 2 kilos et demi.
Chef : Alors commandez 7 kilos pour la semaine prochaine. Et pour la viande, notez 12 kilos de bavette de bœuf. Dans trois jours, c'est le week end, on aura plus de clients. Notez aussi 50 œufs frais. On en a besoin.
Caroline : C'est noté. Hier j'ai commandé 2 kilos de haricots verts. Il en reste 5. Je dois en commander encore ?
Chef : Non ça suffit.
Caroline : Et pour les autres légumes ?
Chef : je dirais 6 kilos de pommes de terre, 6 kilos de tomates et 4 kilos de poivrons pour la salade niçoise.
Caroline : D'accord ? Est-ce qu'on a besoin de fruits ?
Chef : Pour demain prenez 3 kilos de pêches et 3 kilos d'abricots.

En cuisine – page 93

4. Écoutez l'enregistrement et répondez.

La carte, c'est la première impression du client. Elle met en valeur votre établissement, il faut soigner sa présentation ! La carte doit être belle et claire.

Il y a des règles à respecter pour satisfaire les clients. Par exemple, la carte doit être variée mais en même temps il ne faut pas proposer trop de plats. Attention le nombre de plats principaux (viandes et poissons) doit être égal au nombre d'entrées. Autre point, évitez les formulations trop compliquées pour nommer les plats. Les client doivent comprendre tout de suite.
Il faut renouveler la carte en fonction des saisons. Tout d'abord, c'est un indice de fraîcheur. Ensuite, les clients aiment goûter des propositions différentes. Mais il faut aussi garder certains plats toute l'année sur la carte : les spécialités du restaurant.
Les clients apprécient l'originalité, mais pas trop. Surtout, les clients aiment déguster au restaurant des plats difficiles à réaliser à la maison !

Bilan – page 96

2. Écoutez et complétez le planning.

• 9 heures et demie : mise en place du poste de travail.
• 9 heures trente-cinq : préparer les légumes.
• 10 heures moins dix : brider le poulet.
• 10 heures et quart : marquer le poulet en cuisson.
• 11 heures vingt : réaliser la sauce.
• Midi : dresser le poulet.

Bilan – page 96

8. Écoutez et complétez le tableau. Indiquez qui parle et de quel plat.

a. Je réclame le dos de saumon sauce verte, c'est la troisième fois que je le demande !
b. Faites marcher deux escalopes de veau aux champignons, tout de suite.
c. Cette crème brûlée est une crème aux œufs, craquante sur le dessus et onctueuse dessous, accompagnée d'une délicieuse sauce avec une pointe d'acidité.
d. Demain on fera une salade aux noix de Saint-Jacques, pour remplacer le poulpe, il n'y en a plus.
e. La livraison de langoustines arrive dans 3 jours. Donc, il faut attendre avant de mettre les langoustines rôties au menu.
f. J'enlève les sorbets au champagne pour la table 12.